まえがき

税法学習は、税理士への真の第一歩！

本書を手にしたみなさんの多くは、税理士試験の会計科目（簿記論、財務諸表論）の受験をされた方や無事合格された方だと思います。よくぞ、ここまで来られました！

そして、いよいよ税法科目の学習をはじめようとされる方にあらためて伝えておきたいことがあります。それは、税理士とは「税法のプロフェッショナルであり、法律家である」ということです。

ですから、税法の学習は税理士への真の第一歩を踏み出したことになります。

ここからまた気を引き締めていけば、税理士試験の合格も間近です。

さて、ネットスクールでは税理士試験を目指す方への資格支援の学校として、画期的なことを行いました。それは、本来、高額な受講料を払ってのみ手にすることのできる講座使用教材を書店やネットショップで市販することでした。

これにより、独学者にも平等に合格を目指す機会を提供することができましたし、また、独学者が同じ教材を使用して講座学習に切り替えられるという利便性を高めることができました。

一方で、講座使用教材を誰もが購入できるということは、講座の付加価値の希薄化を招き、さらには講座のノウハウの流出というリスクも抱えてしまうことになりかねません。

しかしそれでも、人生を賭けてチャレンジする受験生にとってよりよい教材は生命線であり、その気持ちを想像したときに、講座使用教材を市販することについて一縷の迷いも生じることはありませんでした。さらに言えば、基本問題から応用問題まで網羅することにより段階を追って学習できる問題集に仕上げることに注力しました。

合格するための状況は我々が整えます。

みなさんは、この本で勇気を持って始め、本気で学んでください。

そうすれば、みなさん自身ばかりではなく、みなさんの周りの人たちをも幸せにできる、そんな人生が開けてきます。

さあ、この一歩、いま踏み出しましょう！

税理士WEB講座

講師一同

目次

Contents

税理士試験　問題集
相続税法II　基礎完成編

本書の構成・特長 …… iii
著者からのメッセージ …… iv
ネットスクールの税理士WEB講座 …… v
税理士試験合格に向けた学習 …… vi
ネットスクールWEB講座　合格者の声 …… viii
試験概要／法令等の改正情報の公開について …… x

Chapter1 相続時精算課税 …… 1-1（11）

Chapter2 相続税の課税価格II …… 2-1（19）

Chapter3 税額控除II …… 3-1（27）

Chapter4 住宅取得等資金 …… 4-1（39）

Chapter5 教育、結婚・子育て資金 …… 5-1（45）

Chapter6 財産評価の概要 …… 6-1（51）

Chapter7 不動産の評価I …… 7-1（55）

Chapter8 小規模宅地等の特例I …… 8-1（67）

Chapter9 上場株式等の評価 …… 9-1（77）

Chapter10 非上場株式の評価I …… 10-1（85）

総合計算問題 …… 総合計算問題-1（111）

答案用紙 …… 1（141）

合格に必要な知識を効果的に習得するために

本書の構成・特長

本試験対策として重要度の高いものには、このマークが付いています。

本試験対策に必要な問題を基本レベルから解くことができます。

解答時間の目安を示しています。試験ではスピードも合格に必要な要素です。

教科書の学習内容に応じた問題番号を記載しています。

→ 答案用紙2／解答・解説 1－5

問題1 相続時精算課税① 重要 基本 10分

次の資料により、被相続人甲の相続に係る相続税の課税価格に加算される財産の価額及び贈与税額控除額等を計算し、各人の納付税額又は還付税額を答案用紙に記入しなさい。

【資　料】

1　被相続人甲は令和７年３月14日に死亡しており、被相続人甲に係る相続人等の状況は次の図のとおりである。

被相続人甲
配偶者乙
長男Ａ（平成４年５月15日生）
妻 Ａ′
長女Ｂ（平成11年６月27日生）

（注）1　被相続人甲及び相続人等はすべて日本国内に住所を有している。
　　2　被相続人甲は昭和24年９月11日生まれであり、相続人等はすべて18歳以上である。

答案用紙が用意されている問題では実践力を身につけることができます。

答案用紙 Chapter 1 問題1 相続時精算課税①

1　相続時精算課税の適用を受ける贈与財産価額及び相続税額から控除する贈与税額の計算　（単位：千円）

贈与年分	受贈者	計算過程	各年分の贈与税額	課税価格に加算される金額

2　相続税の課税価格に加算される贈与財産価額及び相続税額から控除する贈与税額の計算　（単位：千円）

贈与年分	受贈者	計算過程	各年分の贈与税額	課税価格に加算される金額

答案用紙については、ネットスクールホームページにてダウンロードサービスを行っております。

学習をはじめる前に

著者からのメッセージ

本書の著者であり、WEB 講座の講師でもある山本和史先生から、本書を学習する前の心構えとしてメッセージがございます。本書を最大限に有効活用するためにも、まずはこのメッセージをお読みください。

プロフィール
講師　山本和史（やまもとかずふみ）
講師歴 38 年。わかりやすい講義をモットーとし、長年の講師歴の中で培った受験生の陥りやすい誤りを未然に防ぐ授業を展開し受験生を合格へと導く。

◆問題集の活用術～その１～

基礎完成編問題集ではその名のとおり、合格に必要な基礎力を養成するための問題が用意されています。基礎完成編教科書の学習項目とリンクしていますので、教科書の学習を終えた都度、その項目について問題集を解くようにしましょう。

１回目の問題解きでは、時間をかけても構いませんので確実に正解することを優先しましょう。次に、２回目の問題解きでは、効率的な解答方法を探りながらムダのない解答作成を心掛けてください。最後に、３回目以降の問題解きでは、制限時間を意識してよりスピーディーに、かつミスなく解答できるようになるまで繰り返し練習していきます。このような３ステップ方式で問題集を活用することをおすすめします。

また、多くの人が陥りやすいのが、「一度解けた問題は永久にいつでも解ける」という思い込みによる失敗です。一度は解けたとしても、その解き方を忘れてしまっては元も子もありません。そこで、１つの問題は、ある一定の期間を置いて、定期的に繰り返し解き直すことが重要です。さらに、できなかった問題を、教科書・問題集を参考にしながら、理解した上で、もう一度全体を通して解き直し、繰り返し解答練習をしてください。

◆財産評価の出来が合否を分ける

基礎完成編の Chapter 6 から財産評価がスタートします。財産評価の中でも宅地と株式の評価は毎年出題され、その出来具合が合否を分けると言っても過言ではありません。「財産評価を制する者は相続税法を制す」とまで言われているほどです。したがって、Chapter 7 の宅地の評価、Chapter 9 の上場株式の評価、Chapter10 の非上場株式の評価については練習を繰り返して、完全マスターを目指してください。

ネットスクールの書籍シリーズのご案内

税理士試験合格に向けた学習

教科書・問題集　Ⅰ基礎導入編

基礎導入編は“教科書（テキスト）”と“問題集”の内容を１冊にまとめた構成となっており、『教科書編』ではインプットを、『問題集編』ではアウトプットを繰り返すことにより、効率的に学習を進めることができます。何事も最初が肝心となりますので、まずは本書で相続税法学習の土台を作りあげていきましょう。

教科書／問題集　Ⅱ基礎完成編

基礎導入編での学習が終わったら、基礎完成編に移ります。基礎導入編と同様に、税理士試験で頻繁に出題される重要論点の基礎的事項を学習していきます。

基礎完成編も基礎導入編と同様に、教科書でインプットしたことを必ず問題集(教科書と別売りとなります)を使ってアウトプットし、学習した知識を定着させましょう。

理論集

理論学習に特化したテキストで、効果的で無駄のない理論学習を行えます。

また、重要理論については音声＆デジタル版のＷダウンロードサービスを付帯し、移動中や外出先でも理論学習を行えるようにしております（別途有料サービス）ので、あわせてご利用ください。

教科書／問題集　Ⅲ応用編

基礎完成編での学習が終わったら、応用編の学習に移ります。試験対策として重要となる応用的な内容及び特殊論点を学習していくことになりますが、基礎導入編及び基礎完成編で学習した内容を基に学習を進めていただければ、無理なく学習を進めることができますので、復習する際は、基礎導入編及び基礎完成編も併せて復習するようにしましょう。

全経　税法能力検定試験　公式テキスト（3級／2級・1級）

公益社団法人　全国経理教育協会（全経協会）では、経理担当者として身に付けておきたい法人税法・消費税法・相続税法・所得税法の実務能力を測る検定試験が実施されています。試験を受けることで、実務のスキルアップを図れるだけでなく、税理士試験の基礎学力の確認としても有効に活用することができます。税理士試験の学習と並行して、全経　税法能力検定試験の学習を進めることをお勧めします。

※検定試験の詳細は、全経協会公式ホームページをご確認ください。

https://www.zenkei.or.jp/

ラストスパート模試

教科書（テキスト）での学習が一通り終わったら、本試験形式で構成された模擬試験問題を解きましょう。本シリーズでは、ネットスクールの税理士講師の先生が作成した模擬問題を３回分収載しています。

試験問題を本体から取り外し、YouTube で配信している「試験タイマー」を流しながら解くことで、試験本番の臨場感の中で解くことができます。学習してきた力を試験本番で十分に発揮できるよう訓練をしましょう。

試験合格！

ネットスクール公式 YouTube チャンネル

試験勉強や合格後の実務に役立つ動画も随時配信中！

☑ 出題予想や本試験の講評・解説

☑ 最新の実務の動向を解説する「ネットスクール学びちゃんねる」

☑ 試験会場の雰囲気を味わえる試験タイマーなど

アカウントをお持ちの方はぜひチャンネル登録のうえ、ご覧ください。

※掲載している書影は、すべて 2024 年８月現在の最新版、教科書／問題集シリーズは 2024 年度版のものとなります。
※書籍のお求めは全国の書店・インターネット書店、またはネットスクール WEB-SHOP をご利用ください。

多数の“合格者の声”が信頼と実績の証です！

ネットスクールWEB講座 合格者の声

ネットスクールで見事！合格を勝ち取った受講生様からのお言葉を紹介いたします。

イトウ　ハルカ様（20 代女性／学生）　第 72 回試験／消費税法合格

私は他の予備校と併用する形で受講させていただいたのですが、画面を通しての講義でも質問などに親身に対応してくれてとても勉強しやすかったです。また、常に前向きな言葉をかけてくださる所にもとても勇気をもらいました。

勉強方法については、学生で本業の学業も手を抜くことができないため、試験勉強は、毎日何時から何をするかの計画を立てて勉強しました。また、直前期は毎日総合問題を解き、問題解答のフォームやルーティーンを定着させるようにしました。直前期は複数の予備校の直前対策問題を解くようにしましたが、ネットスクールの教材は、特に予想問題が主要論点を抑えつつ初見の問題もあったため何度も活用させていただきました。

YouTube の解答速報を拝見し、丁寧な解説と勇気をもらえるような言葉を伝えてくれるネットスクールに興味を持ち、複数の科目を受講しましたが、丁寧な解説、教材、出題予想で本当に助かりました。受講してよかったです。

Y・K 様（30 代男性／一般会社勤務）　第 72 回試験／相続税法合格

相続税法の受験は３回目となりますが過去２回不合格となった際には、計算・理論共に基本論点で解答できておりませんでした。そのため、基本論点を見直し、ネットスクールの参考書や問題集を何度も回転させて記憶の定着を図りました。

また、単なる暗記ではなく理解力も伸ばさなければ本番の試験には対応できないので、制度の概要やなぜその制度が創設されたのかといった背景を理解することも重視しておりました。ネットスクールでは講義が分かりやすく、何度も気になったところは再生できるので納得いかないところは何度も視聴して理解することを心がけておりました。

最後になりますが、試験直前になると SNS 等で他校の生徒が高得点を取った情報や理論予想などの投稿を目にすることがありますが、そのような情報に惑わされずにまずはネットスクールのカリキュラムをしっかりと消化してその中での問題は確実に解けるようにすることが非常に重要だと思いました。実際に相続税法の理論では、ネットスクールで出題されたところを完璧に理解しておりましたので、他校の理論の出題ランクは低い論点でしたがしっかりと点数を取ることが出来ました。

これからは法人税法・消費税法の合格を目指して引き続きネットスクールにお世話になろうと考えております。引き続きどうぞよろしくお願いいたします。

官報合格者も続々輩出！

M・S様（50代男性／一般会社勤務）第71回試験／国税徴収法・官報合格

以前は独学で市販の理論集や問題集を購入して勉強していましたが、配当額の計算でどうしてこのような計算結果となるのか、いまひとつ理解できないところもあり、本試験でも配当額を間違えて計算してしまったことから、その年度は残念ながら不合格となりました。

その後、国税徴収法のテキストを探していたところ、ネットスクールの通信講座を知り、もう一度勉強しなおそうと思い立ち、受講を決めました。

実際に講義を受けてみると、これまで理解が不完全だった「なぜこうなるのか」がすっきりと理解でき、まさに目からウロコが落ちる、という体験でした。

理論は、試験に直結する重要度が高いものに加え、「これは覚えておくべき」と自分が判断したものを全部暗記し、２～３日間で一回転するやり方で精度の向上に努めました。ただ単に暗記するだけではなく、横のつながりを意識することが大切だと思いましたので、どことつながっているのかもいっしょに覚えるようにしました。

答練は、通信講座のなかの問題と過去問で練習を繰り返しました。「ラストスパート模試」は過去８年分と模擬試験４回分が収録されていましたので、これだけでも練習量としては充分だったと思います。答案の書き方自体もあまりよく知らず、以前は隙間なくビッシリと書いていましたので、適度にスペースを空ける書き方を教えてもらったことも受講してよかった、と思いました。

おかげさまで国税徴収法に合格することができました。ありがとうございました。

S・K様（40代男性）　第72回試験／法人税法・官報合格

この度、ようやく官報合格となりました。これまでにお世話になった先生方、本当に本当にありがとうございました。私は他校の受講経験がなく比較することはできませんが、一番ありがたかったのは「学び舎」です。理解力不足や勘違いで何度もくだらない質問をしましたが、すぐに丁寧に詳しく解説を頂けたことが合格に結び付いたと確信しています。

受験勉強で私が一番苦労したのは、何と言っても勉強時間の確保です。仕事との両立はやはり厳しく、平日夜はほぼ時間がとれないため、毎朝３時に起床し朝に勉強するというスタイルで、１日約3～4時間は勉強に充てていました。主な１日のスケジュールは、朝は計算メインの勉強、通勤時間は車の中で、自分が吹き込んだオリジナル理論音声を聞きながらブツブツ念仏を唱え、昼休みは理論集の暗記、ベッドに入って寝るまでの時間も理論集の暗記といった内容でした。

私の理論暗記法は、短期間で繰り返し理論集を何回転もさせるやり方です。最初は重要語句を暗記ペンでマーカーし、覚えたら次の理論という感じでどんどん進めていき、少しずつ暗記ペンでマーカーした部分を増やしていきます。３０～４０回転目になると、ほとんどマーカーした状態になり、その頃からは、理論集を見ずに暗唱し、つまれば理論集を見て確認するというやり方に徐々にシフトしていきます。この方法は職場の先輩から教えてもらったもので、前回受験した国税徴収法と今回受験した法人税法はこの方法でほぼ全部暗記しました。直前期は数日で１回転できるようになり、最終的には６０回転くらいさせたと思います。理論暗記に悩んでいる人にはお勧めです。

税理士試験はかなり長い年数を勉強に費やすことになり、それに比例して犠牲にしなければならないことも多いと思います。私も何度も諦めそうになりました。しかし、なんとか踏みとどまり、ネットスクールを信じて諦めずに継続したことで、５科目合格することができました。

税理士試験とは

試験概要

【試験科目】

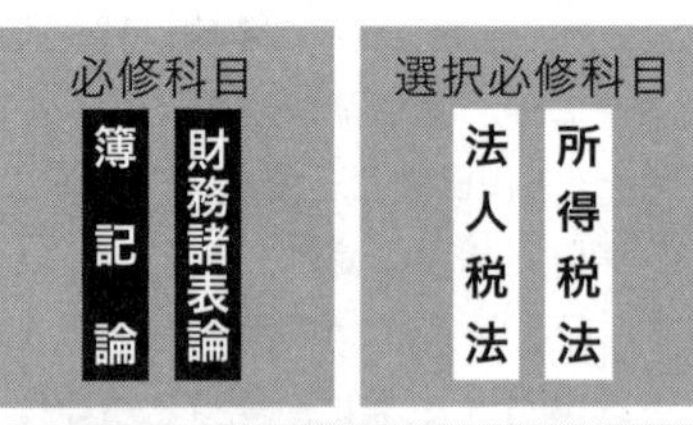

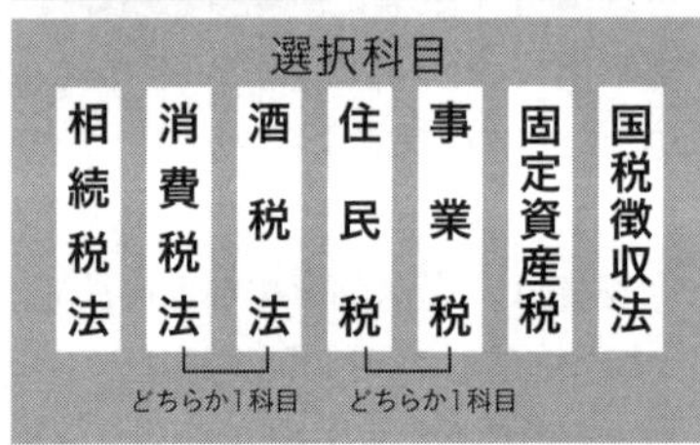

税理士試験は、会計科目２科目・税法科目９科目の全11科目あります。このうち、会計科目２科目と税法科目３科目（選択必須科目１科目以上を含む）の合計５科目に合格する必要があります。１度の受験で５科目全てに合格する必要はなく、１科目ずつ受験することもできます。なお、１度合格した科目は生涯有効となります。

【試験日】

通常、８月第１又は第２週の火曜日～木曜日に実施されます。

【合格点・合格発表】

合格基準点は各科目とも満点の60パーセントです。合格発表は11月下旬になります。

その他、税理士試験の詳細については、国税庁ホームページをご覧下さい。

https://www.nta.go.jp/index.htm

国税庁ホームページ > 税の情報・手続・用紙 > 税理士に関する情報 > 税理士試験

本書シリーズ

法令等の改正情報の公開について

本書税理士シリーズについて、法令等の改正や会計基準等の変更があった場合には、改正・変更に関する情報を公開いたします。

https://www.net-school.co.jp/

読者の方へ　＞　税理士試験 / 科目　＞　改正情報

凡例（略式名称……正式名称）

法……相続税法　　令……相続税法施行令　　規……相続税法施行規則
措法……租税特別措置法　　措令……租税特別措置法施行令
基通……相続税法基本通達　　個通……相続税法個別通達
評通……財産評価基本通達
措通……租税特別措置法関係通達

引用例

法19の2①一イ……相続税法第19条の2第1項第一号イ

（注）　本書は、令和6年（2024年）4月1日現在施行されている法令等に基づき作成しています。

Chapter 1

相続時精算課税

No	内　容	標準時間	1回目	2回目	3回目
問題１	相続時精算課税①	10分	／	／	／
問題2	相続時精算課税②	10分	／	／	／
問題３	相続時精算課税③	10分	／	／	／

問題１　相続時精算課税①

基本　10分

次の資料により、被相続人甲の相続に係る相続税の課税価格に加算される財産の価額及び贈与税額控除額等を計算し、各人の納付税額又は還付税額を答案用紙に記入しなさい。

【資　料】

1　被相続人甲は令和７年３月14日に死亡しており、被相続人甲に係る相続人等の状況は次の図のとおりである。

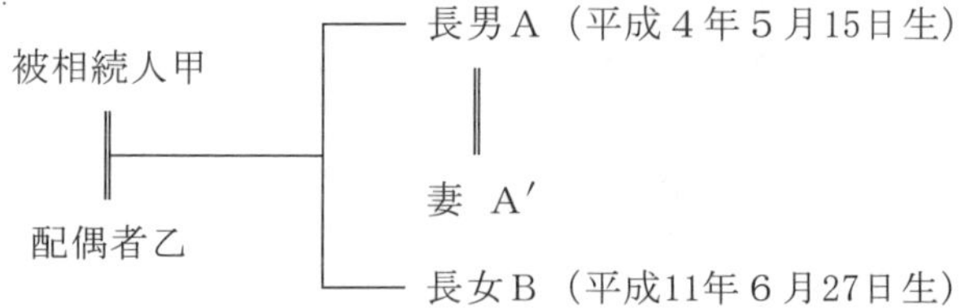

（注）１　被相続人甲及び相続人等はすべて日本国内に住所を有している。

２　被相続人甲は昭和24年９月11日生まれであり、相続人等はすべて18歳以上である。

2　相続人は、被相続人甲の生前に次の表のとおりに財産の贈与を受けている。なお、相続人はこれらのうち贈与税の申告及び納付の必要なものについては、適法に行っている。

贈与年月	受贈者	贈与財産	贈与時の時価	相続開始時の時価	(注)
令和４年11月	配偶者乙	土地及び家屋	25,000,000円	23,000,000円	1
令和４年12月	長男Ａ	上場株式	26,000,000円	22,000,000円	2
令和５年10月	長女Ｂ	別荘及び敷地	21,000,000円	16,000,000円	
令和６年１月	長男Ａ	社債	5,000,000円	5,150,000円	
令和６年２月	長女Ｂ	定期預金	65,000,000円	65,050,000円	3
令和７年２月	長女Ｂ	現金	5,000,000円	5,000,000円	

（注）１　土地及び家屋は、被相続人甲及び配偶者乙の居住の用に供されていたものであり、配偶者乙は被相続人甲からの贈与につき贈与税の配偶者控除の適用を受ける要件を満たしている。

２　長男Ａは、令和４年分の被相続人甲からの贈与につき相続時精算課税を選択している。

３　長女Ｂは、令和６年分の被相続人甲からの贈与につき相続時精算課税を選択している。

→ 答案用紙3／ 解答・解説 1－6

問題2 相続時精算課税②

重要 基本 10分

次の資料により、被相続人甲の相続に係る相続税の課税価格に加算される財産の価額及び贈与税額控除額等を計算し、各人の納付税額又は還付税額を答案用紙に記入しなさい。

【資　料】

1　被相続人甲は令和７年３月20日に死亡しており、被相続人甲に係る相続人の状況は次の図のとおりである。

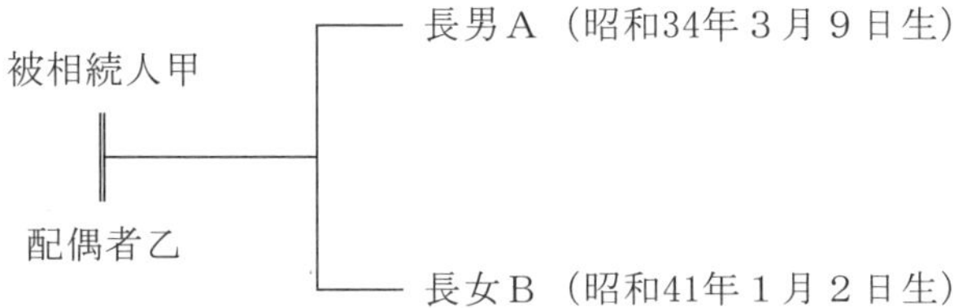

（注）１　被相続人甲及び相続人はすべて日本国内に住所を有している。

２　被相続人甲は昭和９年12月７日生まれであり、相続人はすべて18歳以上である。

３　子Ａは出生時から特別障害者に該当する者であり、相続開始時においても同じ状況である。

2　子Ａ及び子Ｂは、被相続人甲の生前に次の表のとおり贈与を受けていた。子Ａ及び子Ｂはこれらについて贈与税の申告及び納付の必要なものについては、適正に済ませている。

贈与年月	受贈者	受贈財産	贈与時の時価	相続開始時の時価	(注)
令和５年７月	子　Ａ	信託受益権	30,000,000円	30,000,000円	1
令和５年８月	子　Ａ	現　金	10,000,000円	10,000,000円	
令和５年10月	子　Ｂ	有価証券	15,000,000円	16,000,000円	
令和６年２月	子　Ａ	信託受益権	70,000,000円	70,000,000円	2
令和７年１月	子　Ａ	現　金	30,000,000円	30,000,000円	
令和７年２月	子　Ｂ	不動産	5,000,000円	6,000,000円	

（注）１　子Ａは、この贈与について障害者非課税信託申告書を提出している。なお、子Ａはこれ以前に障害者非課税信託申告書を提出したことはない。

２　令和５年分の追加信託であり、子Ａは障害者非課税信託申告書を提出している。なお、子Ａは令和６年分の贈与について相続時精算課税選択届出書も提出している。

問題３ 相続時精算課税③

基本 10分

次の資料により、被相続人甲の相続に係る相続税の課税価格に加算される財産の価額及び贈与税額控除額等を計算し、各人の納付税額又は還付税額を答案用紙に記入しなさい。

【資　料】

1　被相続人甲は令和７年３月25日に死亡した。相続人等は全員日本国内に住所を有している。

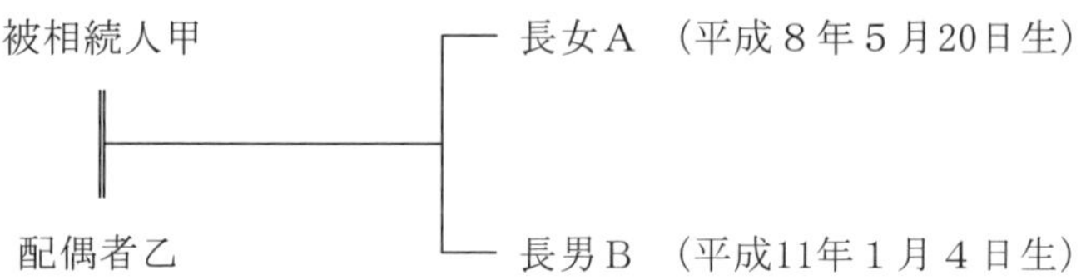

2　各相続人等が相続により取得した財産は次のとおりである。なお、長女Ａは適法に相続放棄の手続きを済ませている。また、被相続人甲から遺贈により財産を取得した者はいない。

⑴　配偶者乙が取得した財産　　42,500千円

⑵　長男Ｂが取得した財産　　10,000千円

3　各相続人等が被相続人甲から生前に贈与を受けていた財産は次のとおりである。

贈与年月	受贈者	贈与財産	贈与時の価額	相続開始時の価額	(注)
令和４年５月	長女Ａ	株式	6,600千円	7,000千円	
令和４年９月	長男Ｂ	現金	18,000千円	18,000千円	
令和５年５月	配偶者乙	宅地	18,000千円	17,000千円	1
令和５年６月	配偶者乙	国債	10,000千円	10,100千円	
令和５年８月	長女Ａ	絵画	20,000千円	22,000千円	2
令和５年12月	友人丙	骨董品	3,000千円	3,450千円	
令和６年６月	長女Ａ	定期預金	12,000千円	12,340千円	
令和７年１月	配偶者乙	山林	10,000千円	9,990千円	
令和７年２月	長男Ｂ	ゴルフ会員権	27,000千円	25,800千円	3

(注) 1　配偶者乙は令和５年分の贈与につき贈与税の配偶者控除の適用を受けている。

2　長女Ａは令和５年分の贈与につき相続時精算課税の適用を受けている。

3　長男Ｂは令和７年分の贈与につき相続時精算課税の適用を受けている。

解 答　問題1　相続時精算課税①

1　相続時精算課税の適用を受ける贈与財産価額及び相続税額から控除する贈与税額の計算　（単位：千円）

贈与年分	受贈者	計算過程	各年分の贈与税額	課税価格に加算される金額
令和４年分	長 男 A	(26,000－※25,000)×20%＝200	200	26,000
		※ 26,000 ＞ 25,000 ∴ 25,000		
令和６年分	長 男 A	5,000－1,100＝3,900　3,900×20%＝780	780	3,900
令和６年分	長 女 B	(65,000－1,100－※25,000)×20%＝7,780	7,780	63,900
		※ 65,000－1,100＝63,900 ＞ 25,000		
		∴ 25,000		
令和７年分	長 女 B	5,000－1,100＝3,900	—	3,900
		相続開始年分の贈与は申告不要		

2　相続税の課税価格に加算される贈与財産価額及び相続税額から控除する贈与税額の計算　（単位：千円）

贈与年分	受贈者	計算過程	各年分の贈与税額	課税価格に加算される金額
令和４年分	配偶者乙	25,000－※20,000＝5,000	530	5,000
		※ 25,000 ≧ 20,000 ∴ 20,000		
		(5,000－1,100)×20%－250＝530		
令和５年分	長 女 B	(21,000－1,100)×45%－2,650＝6,305	6,305	21,000

3　各人の課税価格の計算　（単位：円）

項目＼相続人等	配偶者乙	長男 A	長女 B	計
相続又は遺贈財産	320,000,000	140,100,000	6,200,000	
相続時精算課税適用財産		29,900,000	67,800,000	
債務控除	△ 50,000,000	△ 10,000,000	△ 30,000,000	
生前贈与加算	5,000,000		21,000,000	
課税価格(千円未満切捨)	275,000,000	160,000,000	65,000,000	500,000,000

4　各人別の納付税額の計算　（単位：円）

項目＼相続人等	配偶者乙	長男 A	長女 B	計
あん分割合	0.55	0.32	0.13	1.00
算出税額	72,105,000	41,952,000	17,043,000	131,100,000
贈与税額控除額（暦年課税分）	△ 530,000		△ 6,305,000	
配偶者の税額軽減額	△ 65,550,000			
差引税額	6,025,000	41,952,000	10,738,000	
贈与税額控除額（相続時精算課税分）		△ 980,000	△ 7,780,000	
納付税額(百円未満切捨)	6,025,000	40,972,000	2,958,000	
還付税額(円未満切捨)				

解答　問題2　相続時精算課税②

1　相続時精算課税の適用を受ける贈与財産価額及び相続税額から控除する贈与税額の計算（単位：千円）

贈与年分	受贈者	計算過程	各年分の贈与税額	課税価格に加算される金額
令和６年分	子　A	(70,000−※1 30,000−1,100−※2 25,000)×20%=2,780 ※１　70,000 ＞ 60,000−30,000=30,000　∴ 30,000 ※２　70,000−30,000−1,100=38,900 ＞ 25,000 ∴ 25,000	2,780	38,900
令和７年分	子　A	30,000−1,100=28,900 相続開始年分の贈与は申告不要	—	28,900

2　相続税の課税価格に加算される贈与財産価額及び相続税額から控除する基となる贈与税額の計算（単位：千円）

贈与年分	受贈者	計算過程	各年分の贈与税額	課税価格に加算される金額
令和５年分	子　A	(30,000−※30,000+10,000−1,100)×30%−900=1,770 ※　30,000 ≦ 60,000　∴ 30,000	1,770	10,000
令和５年分	子　B	(15,000−1,100)×40%−1,900=3,660	3,660	15,000
令和７年分	子　B	相続開始年分の贈与は非課税	—	5,000

3　各人の課税価格の計算（単位：円）

項目＼相続人等	配偶者乙	長男A	長女B	計
相続又は遺贈財産	170,000,000	7,200,000	50,000,000	
相続時精算課税適用財産		67,800,000		
債務控除	△ 20,000,000	△ 35,000,000	△ 20,000,000	
生前贈与加算		10,000,000	20,000,000	
課税価格(千円未満切捨)	150,000,000	50,000,000	50,000,000	250,000,000

4　各人別の納付税額の計算（単位：円）

項目＼相続人等	配偶者乙	子A	子B	計
あん分割合	0.60	0.20	0.20	1.00
算出税額	23,820,000	7,940,000	7,940,000	39,700,000
贈与税額控除額（暦年課税分）		△ 1,770,000	△ 3,660,000	
配偶者の税額軽減額	△ 23,820,000			
障害者控除額		△ 3,800,000		
差引税額	0	2,370,000	4,280,000	
贈与税額控除額(相続時精算課税分)		△ 2,780,000		
納付税額(百円未満切捨)	0		4,280,000	
還付税額(円未満切捨)		△ 410,000		

解答　問題３　相続時精算課税③

1　相続時精算課税の適用を受ける贈与財産価額及び相続税額から控除する贈与税額の計算　(単位：千円)

贈与年分	受贈者	計算過程	各年分の贈与税額	課税価格に加算される金額
令和５年分	長女Ａ	20,000－※20,000＝0　※　20,000≦25,000 ∴ 20,000	0	20,000
令和６年分	長女Ａ	(12,000－1,100－※5,000)×20%＝1,180 ※　12,000－1,100＝10,900 ＞ 25,000－20,000＝5,000 ∴　5,000	1,180	10,900
令和７年分	長男Ｂ	27,000－1,100＝25,900 相続開始年分の贈与は申告不要	—	25,900

2　相続税の課税価格に加算される贈与財産価額及び相続税額から控除する基となる贈与税額の計算　(単位：千円)

贈与年分	受贈者	計算過程	各年分の贈与税額	課税価格に加算される金額
令和４年分	長女Ａ	(6,600－1,100)×20%－300＝800	800	6,600
令和４年分	長男Ｂ	(18,000－1,100)×45%－2,650＝4,955＞3,352 ∴　3,352	3,352	18,000
令和５年分	配偶者乙	(18,000－※18,000＋10,000－1,100)×40%－1,250 ＝2,310 ※　18,000 ＜ 20,000　∴　18,000	2,310	10,000
令和５年分	友人丙	相続又は遺贈により財産を取得していないため加算なし	—	—
令和７年分	配偶者乙	相続開始年分の贈与は非課税	—	10,000

3　各人の課税価格の計算　(単位：円)

項目＼相続人等	配偶者乙	長女Ａ	長男Ｂ	友人丙	計
相続財産	42,500,000		10,000,000		
相続時精算課税適用財産		30,900,000	25,900,000		
債務控除	△15,000,000		△13,900,000		
生前贈与加算	20,000,000	6,600,000	18,000,000	—	
課税価格(千円未満切捨)	47,500,000	37,500,000	40,000,000		125,000,000

4　各人別の納付税額の計算　(単位：円)

項目＼相続人等	配偶者乙	長女Ａ	長男Ｂ	友人丙	計
あん分割合	0.38	0.30	0.32		1.00
算出税額	3,980,500	3,142,500	3,352,000		10,475,000
贈与税額控除額(暦年課税分)	△ 2,310,000	△ 800,000	△ 3,352,000	—	
配偶者の税額軽減額	△ 1,670,500				
差引税額	0	2,342,500	0		
贈与税額控除額(相続時精算課税分)		△ 1,180,000			
納付税額(百円未満切捨)	0	1,162,500	0		
還付税額(円未満切捨)					

解説

長女Aは、被相続人甲から相続又は遺贈により財産を取得していない相続時精算課税適用者であるため特定納税義務者となりますが、特定納税義務者にも生前贈与加算の適用はあります。

（参 考）特定納税義務者の相続税の課税価格計算

特定贈与者である被相続人から相続又は遺贈により財産を取得しなかった相続時精算課税適用者＝特定納税義務者

➜ 相続時精算課税の適用を受けた贈与財産を相続又は遺贈により取得したものとみなして相続税の課税価格を計算しますが、相続時精算課税の選択に係る贈与の年の前年以前に取得した贈与財産で特定贈与者の相続開始前７年以内に取得した財産の価額は生前贈与加算の対象となります。

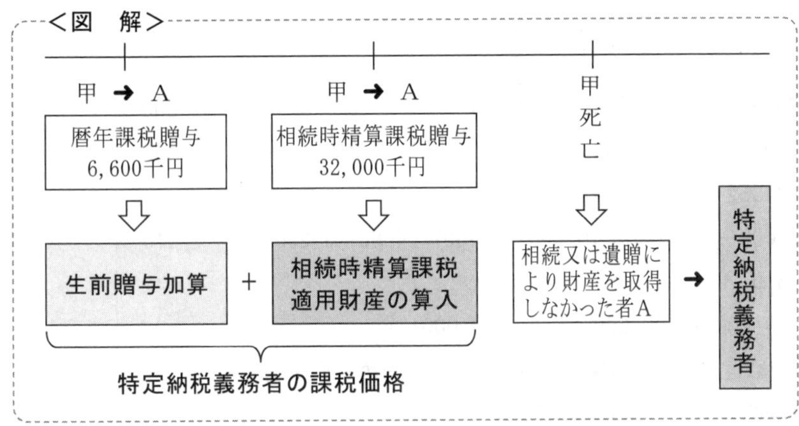

Chapter 2

相続税の課税価格Ⅱ

No	内　容	標準時間	1回目	2回目	3回目
問題１	生命保険金等の課税（契約者貸付金がある場合等）	６分	／	／	／
問題２	生命保険契約に関する権利	８分	／	／	／
問題３	措置法70条の非課税①	６分	／	／	／
問題４	措置法70条の非課税②	10分	／	／	／

➜ 解答・解説　2－6

問題１　生命保険金等の課税（契約者貸付金がある場合等）

基本　6分

被相続人甲の死亡により相続人等は次の保険金等を取得した。相続又は遺贈により取得したものとみなされる生命保険金等（非課税金額控除前）を計算しなさい。

	保険金受取人	保険契約者	保険料負担者	契約保険金額	備　考
1	配偶者乙	被相続人甲	被相続人甲全額	30,000千円	前納保険料200千円が併せて支払われた。
2	長男A	配偶者乙	被相続人甲全額	50,000千円	契約者貸付金500千円及びその利息10千円がある。
3	二男B	二男B	被相続人甲全額	25,000千円	契約者貸付金2,000千円（元利合計額）がある。
4	配偶者乙	被相続人甲	Z株式会社	50,000千円	Z社は被相続人甲の生前の勤務会社であり、退職手当金等の支給を目的としたものではない。

➜ 解答・解説　2－6

問題2　生命保険契約に関する権利

基本　8分

被相続人甲の死亡時において、次の生命保険契約があった。これらについて各相続人等が相続又は遺贈により取得したものとみなされる財産の価額を計算しなさい。

区　　分	被保険者	契約者	受取人	保険料負担者及び負担割合	契約保険金額	解約返戻金額
A生命保険	配偶者乙	配偶者乙	長男A	被相続人甲　全額	25,000,000円	6,000,000円
B生命保険	二男B	二男B	被相続人甲	被相続人甲　1/2 二男　B　1/2	20,000,000円	3,800,000円
C生命保険	配偶者乙	長男A	二男B	被相続人甲　2/3 長男　A　1/3	30,000,000円	9,000,000円
D生命保険	配偶者乙	配偶者乙	長男A	被相続人甲　1/2 配偶者　乙　1/2	25,000,000円	9,500,000円
E生命保険	配偶者乙	父　丙	長男A	被相続人甲　全額	20,000,000円	8,000,000円
F生命保険	父　丙	被相続人甲	被相続人甲	被相続人甲　全額	10,000,000円	4,000,000円
G生命保険	長男A	配偶者乙	被相続人甲	被相続人甲　全額	20,000,000円	－

（注）1　A生命保険については、上記の解約返戻金のほか剰余金190,000円がある。

2　E生命保険については、解約返戻金に対して源泉徴収される所得税額等320,000円がある。

3　F生命保険については、契約者である被相続人甲の死亡に伴い契約者の地位は、相続人間の協議に基づき二男Bが取得した。

4　G生命保険は解約返戻金の定めのない契約である。

➜ 解答・解説　2－7

問題3　措置法70条の非課税①

基本　6分

被相続人甲から各人が取得した次の財産につき相続税の課税価格に算入される金額を求めなさい。

なお、贈与等についてはいずれも相続税の申告期限までに適法に受け入れられている。

⑴　配偶者乙が相続により取得した財産

①　土　地　　30,000千円

この土地を認定特定非営利活動（ＮＰＯ）法人に対して贈与している。

②　定期預金　　15,000千円

この定期預金のうち10,000千円を独立行政法人に対して贈与している。

⑵　子Ａが相続により取得した財産

①　社　債　　15,000千円

この社債を売却し、売却代金のうち10,000千円を公益財団法人に対して贈与している。

②　株　式　　20,000千円

この株式を公益社団法人設立のために提供している。

③　普通預金　　3,000千円

この普通預金を宗教法人に対して贈与している。

⑶　子Ｂが相続により取得した財産

①　土　地　　25,000千円

この土地を学校法人に対して10,000千円で譲渡している。

②　金　銭　　15,000千円

この金銭を特定公益信託に支出している。

➜ 答案用紙5／解答・解説　2−8

問題4　措置法70条の非課税②

基本　10分

次の資料により、各相続人等の相続税の課税価格を計算しなさい。

1　被相続人甲の相続人等の状況は、次の親族図表のとおりである。

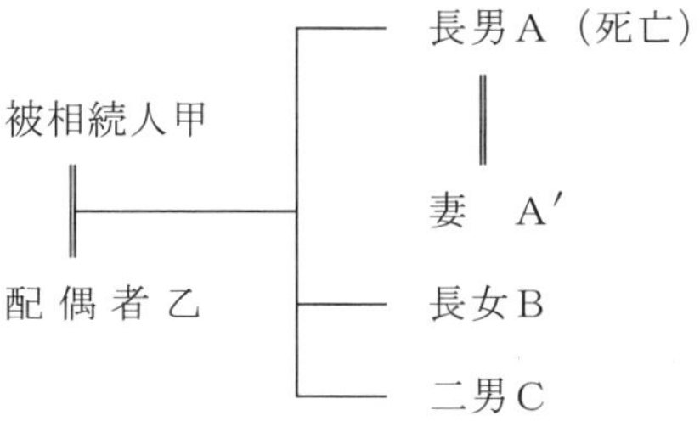

（注）1　長男Aは、被相続人甲の死亡に係る相続開始前に死亡している。

2　被相続人甲及び相続人等は、相続開始時において日本国籍を有し、日本国内に住所を有していた。

2　被相続人甲の遺産は以下のとおりであり、この遺産については共同相続人間の協議により民法の規定による相続分に応じて取得することとなった。

⑴	土地	80,000千円
⑵	家屋	46,000千円
⑶	有価証券	100,000千円
⑷	預貯金	150,000千円
⑸	家庭用財産	12,000千円

このほか、仏壇・仏具の価額2,000千円がある。

3　被相続人甲に係る債務は以下のとおりであり、これらの負担者は確定していなかった。

⑴	銀行借入金	40,000千円
⑵	未払飲食代	2,000千円
⑶	墓地購入未払金	5,000千円

4　被相続人甲に係る葬式費用は以下のとおりであり、これらの負担者は確定していなかった。

⑴	葬式費用	6,200千円
⑵	お布施代	1,000千円
⑶	法会費用	3,300千円

5　上記のほか、被相続人甲の死亡を保険事故として被相続人甲が保険料の２分の１を負担していた生命保険契約により生命保険会社からに配偶者乙に対して保険金50,000千円が支払われた。なお、配偶者乙はこの保険金のうち5,000千円を相続税の申告期限までに東京都渋谷区に贈与している。

解答　問題1　生命保険金等の課税（契約者貸付金がある場合等）

（単位：千円）

配偶者乙　30,000＋200＋500＋10＋50,000＝80,710

長 男 A　50,000－(500＋10)＝49,490

二 男 B　25,000－2,000＋2,000＝25,000

解説

① 契約者に対しては契約者貸付金の額が前受保険金として課税されると考え、受取人と契約者の両者で契約上の保険金額をシェアしていることをイメージすると理解しやすいでしょう。

② 被相続人の雇用主が負担している保険料は、被相続人の給与から控除されて支払われていることから、保険料負担者をその被相続人として課税関係を考えます。

なお、みなし取得財産の区分は、退職金の支給目的以外であれば、生命保険金等に該当します。

解答　問題2　生命保険契約に関する権利

（単位：円）

（A生命保険）配偶者乙　6,000,000＋190,000＝6,190,000

（B生命保険）二 男 B　$3,800,000 \times \frac{1}{2} = 1,900,000$

（C生命保険）長 男 A　$9,000,000 \times \frac{2}{3} = 6,000,000$

（D生命保険）配偶者乙　$9,500,000 \times \frac{1}{2} = 4,750,000$

（E生命保険）父　　丙　8,000,000－320,000＝7,680,000

（F生命保険）二 男 B　本来の相続財産（4,000,000）

（G生命保険）配偶者乙　掛捨保険のため評価しない

解説

F生命保険は、被保険者≠被相続人であるため生命保険契約に関する権利に該当しますが、契約者＝被相続人であるため本来の相続財産となります。

解 答　問題3　措置法70条の非課税①

(1)　配偶者乙の課税価格　　　　　　　　　　　　　　　　　　　　　(単位：千円)

30,000－※30,000＋15,000－※10,000＝5,000

※　措法70の非課税

(2)　子Ａの課税価格

15,000＋20,000＋3,000＝38,000

※　相続財産の売却代金の贈与、設立のための提供及び宗教法人への贈与は措法70の非課税の適用なし

(3)　子Ｂの課税価格

25,000－※(25,000－10,000)＋15,000－※15,000＝10,000

※　措法70の非課税

解 説

⑵①については、相続により取得した社債そのものではなく、その売却代金を贈与しているため、措置法70条の非課税の適用は受けられません。また、措法70の非課税は、「相続又は遺贈により取得した財産」を「贈与又は提供」した場合に適用されますが、贈与又は提供以外の「低額譲渡」の場合でも、非課税の適用が受けられます。その場合、財産の時価と対価との差額が非課税となり、対価の額は相続税の課税対象となります。

解答　問題4　措置法70条の非課税②

Ⅰ　相続人及び受遺者の相続税の課税価格の計算

1　分割財産価額の計算　（単位：千円）

80,000＋46,000＋100,000＋150,000＋12,000＝388,000　※　仏壇・仏具は相続税の非課税

配偶者乙 ＝ 388,000×$\frac{1}{2}$＝194,000

長女B ＝ 388,000×$\frac{1}{2}$×$\frac{1}{2}$＝97,000

二男C ＝ 388,000×$\frac{1}{2}$×$\frac{1}{2}$＝97,000

2　みなし取得財産価額の計算　（単位：千円）

財産の種類	取得者	計算過程	金額
生命保険金等	配偶者乙	50,000×$\frac{1}{2}$－※5,000＝20,000　※　措法70の非課税 20,000－15,000＝5,000 （生命保険金等の非課税金額） (1)　5,000×３人＝15,000 (2)　20,000 (3)　(1)＜(2)　∴　15,000	5,000

3　債務控除額の計算　（単位：千円）

債務及び葬式費用	負担者	計算過程	金額
債務及び葬式費用		40,000＋2,000＋6,200＋1,000＝49,200 ※　墓地購入未払金、法会費用は控除できない	
	配偶者乙	49,200×$\frac{1}{2}$＝24,600	△　24,600
	長女B	49,200×$\frac{1}{2}$×$\frac{1}{2}$＝12,300	△　12,300
	二男C	49,200×$\frac{1}{2}$×$\frac{1}{2}$＝12,300	△　12,300

4　各人の課税価格の計算　（単位：千円）

項目＼相続人等	配偶者乙	長女B	二男C	計
分割財産	194,000	97,000	97,000	
みなし取得財産	5,000			
債務控除	△　24,600	△　12,300	△　12,300	
課税価格（千円未満切捨）	174,400	84,700	84,700	343,800

解説

生命保険金等の非課税の適用順序は、先に措置法70条の非課税を適用し、その残額について相続税法の非課税を適用します。

Chapter 3

税額控除Ⅱ

No	内　容	標準時間	1回目	2回目	3回目
問題１	未成年者控除	５分	／	／	／
問題２	未成年者控除（扶養義務者からの控除）	８分	／	／	／
問題３	障害者控除	５分	／	／	／
問題４	障害者控除（既控除者の控除限度額）	８分	／	／	／
問題５	相次相続控除	８分	／	／	／
問題６	相続税の外国税額控除	８分	／	／	／
問題７	贈与税の外国税額控除	12分	／	／	／

→ 解答・解説 3－8

問題１ 未成年者控除

重要 基本 5分

次の資料により、各人の未成年者控除額を計算しなさい。

1 被相続人甲は、令和７年３月５日に死亡しており、相続人等は全員同日にその事実を知った。

2 被相続人甲に係る相続人等の状況は、以下のとおりである。

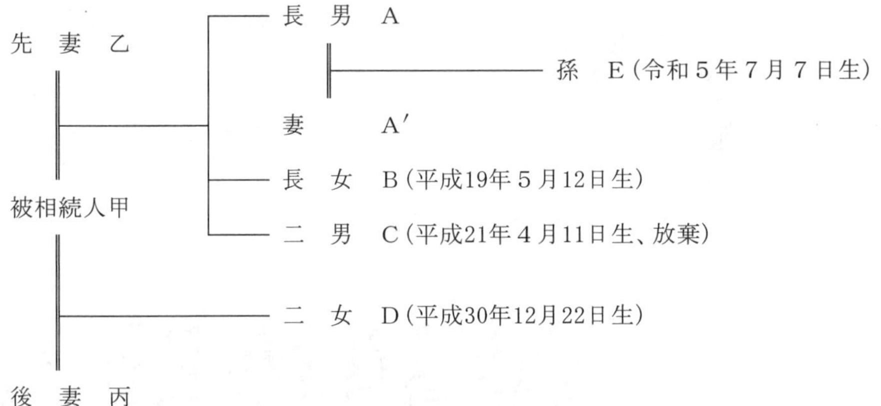

(注) 1 生年月日の記載のない者は、相続開始時において18歳以上である。

2 長女Bは非居住制限納税義務者に該当するが、その他の相続人等は居住無制限納税義務者に該当する。

3 二男Cは、被相続人甲に係る相続について、家庭裁判所に申述し、適法に相続の放棄をしている。

➜ 解答・解説　3－8

問題2　未成年者控除（扶養義務者からの控除）

重要　基本　8分

次の資料により、各人の未成年者控除額を求めなさい。

1　被相続人甲（令和7年3月15日死亡）の相続人は次のとおりであり、全員居住無制限納税義務者に該当する。

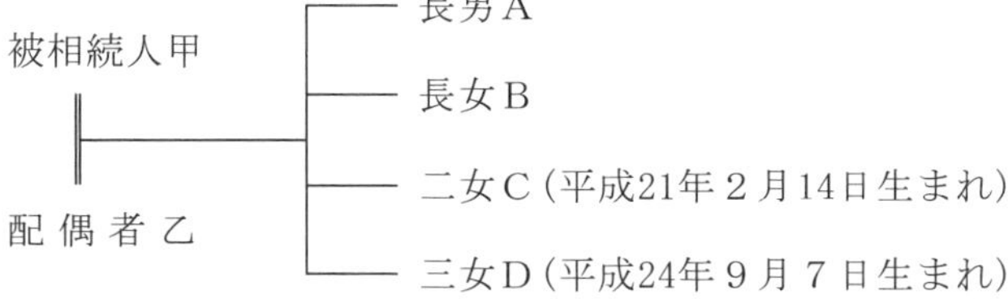

2　生年月日の記載のない者は、相続開始時において18歳以上である。

3　被相続人甲に係る相続人の算出税額（配偶者の税額軽減までの規定を適用した後の金額）は、次のとおりである。

配偶者乙	6,000,000円
長男A	3,800,000円
長女B	4,200,000円
二女C	1,000,000円
三女D	120,000円
合計	15,120,000円

➜ 解答・解説 3－9

問題3 障害者控除 重要 基本 5分

次の資料により、各人の障害者控除額を計算しなさい。

1　被相続人甲(東京都内在住)は、令和７年４月30日に死亡しており、相続人等は全員同日にその事実を知った。

2　被相続人甲に係る相続人等の状況は、次のとおりである。

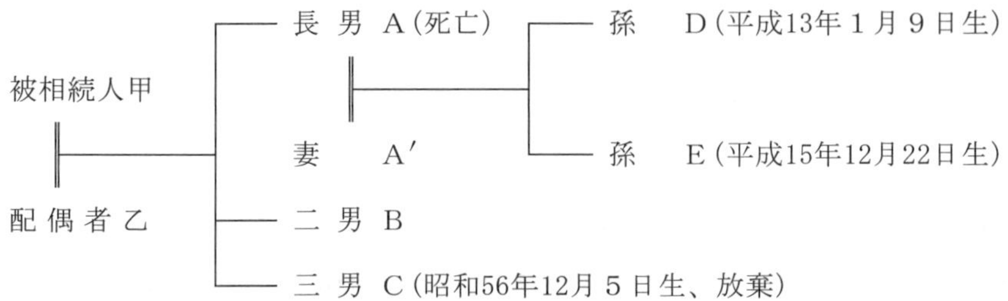

(注) 1　三男Ｃは、被相続人甲に係る相続について家庭裁判所に申述し、適法に相続の放棄をしている。

2　孫Ｄは、非居住無制限納税義務者に該当するが、その他の相続人等は居住無制限納税義務者に該当する。

3　三男Ｃ、孫Ｄ及び孫Ｅは、それぞれ身体障害者手帳を交付されており、三男Ｃは障害の程度が３級である者として、孫Ｄは障害の程度が４級である者として、孫Ｅは障害の程度が２級である者としてそれぞれ記載されている。

4　長男Ａは被相続人甲の相続開始以前に死亡しているが、相続税の課税関係は生じていない。

➜ 解答・解説 3－9

問題4 障害者控除（既控除者の控除限度額） 重要 基本 8分

次の資料により、各人の障害者控除額を求めなさい。

1　被相続人甲（令和７年４月10日死亡）の相続人等の状況は次のとおりである。

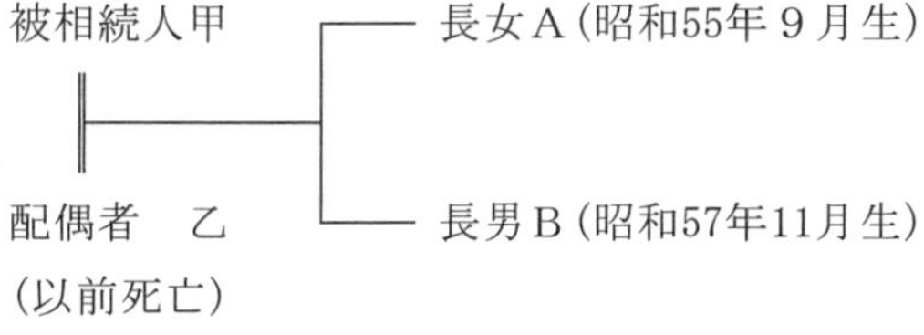

(注) 1　相続人はすべて居住無制限納税義務者に該当する。

2　配偶者乙は平成８年10月２日に死亡しており、配偶者乙に係る相続の際、長女Ａ及び長男Ｂは以下のとおり障害者控除を受けている。

⑴　長女Ａ　3,240,000円（一般障害者）

⑵　長男Ｂ　3,420,000円（一般障害者）

3　被相続人甲の死亡時において、長女Ａは引き続き一般障害者であったが、長男Ｂは平成30年２月より特別障害者となっている。

➜ 解答・解説 3－10

問題5 相次相続控除　基本　8分

次の資料により、各人の相次相続控除額を計算しなさい。

1　令和7年4月18日に死亡した被相続人甲に係る相続人等の状況は、次のとおりである。

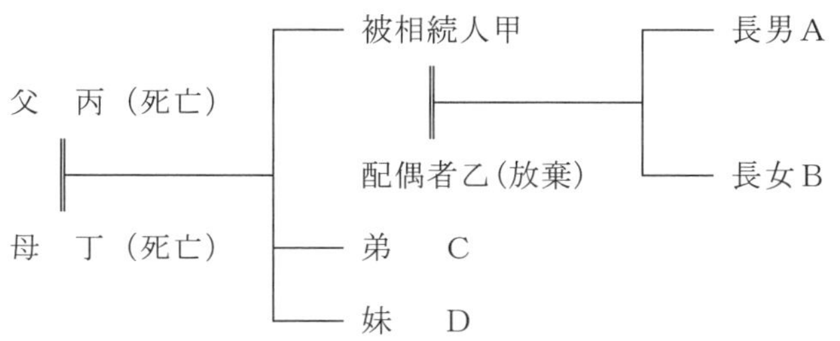

（注）1　父丙及び母丁は、被相続人甲に係る相続開始以前に死亡しているが、母丁については相続税の課税関係は生じていない。

2　配偶者乙は、被相続人甲に係る相続について家庭裁判所に申述し、適法に放棄をしている。

2　相続人等の相続税の課税価格の計算に関する資料は、次のとおりである。

（単位：円）

相続人等 / 項目	配偶者乙	長男A	長女B	弟C	妹D	計
相続又は遺贈財産	218,400,000	49,900,000	50,800,000	38,800,000	6,100,000	
債務控除	△ 20,120,000	△ 7,810,000	△ 2,070,000			
純資産価額	198,280,000	42,090,000	48,730,000	38,800,000	6,100,000	334,000,000
生前贈与加算	44,400,000	8,900,000			10,700,000	
課税価格（千円未満切捨）	242,680,000	50,990,000	48,730,000	38,800,000	16,800,000	398,000,000

3　平成29年10月に死亡した父丙の相続により被相続人甲は以下のとおり財産を取得しており、相続税の申告及び納付を済ませていた。

相続財産	88,000,000円
遺贈財産	30,000,000円
債務控除	△ 8,000,000円
純資産価額	110,000,000円
生前贈与加算	5,000,000円
課税価格（千円未満切捨）	115,000,000円
納付税額（百円未満切捨）	6,000,000円

➜ 解答・解説　3－10

問題6　相続税の外国税額控除　基本　8分

次の資料により、各人の相続税の外国税額控除額を計算しなさい。

1　令和７年４月１日に被相続人甲は東京都内の自宅において死亡している。被相続人甲の相続に係る相続人等の財産の取得状況は、次のとおりである。なお、相続人等はすべて居住無制限納税義務者に該当する。

（単位：円）

相続人等／項目	配偶者乙	長男A	長女B	弟丙	計
相続又は遺贈財産	251,000,000	106,000,000	87,000,000	9,000,000	
債務控除	△ 50,000,000	△ 6,000,000	△ 5,000,000		
純資産価額	201,000,000	100,000,000	82,000,000	9,000,000	392,000,000
生前贈与加算	20,000,000	20,000,000	8,000,000		
課税価格（千円未満切捨）	221,000,000	120,000,000	90,000,000	9,000,000	440,000,000
算出税額(注2)	0	23,106,600	21,237,700	2,172,200	

（注）算出税額は、相次相続控除までの規定を適用した後の金額である。

2　各相続人等が被相続人から取得した財産のうちには次の財産が含まれている。

⑴　長男Aが取得した相続又は遺贈財産106,000,000円のうち22,000,000円は相続により取得した国外財産であり、これについては現地の法令により相続税に相当する税3,450,000円が課されている。

なお、債務控除額6,000,000円のうち4,000,000円はこの国外財産に係るものである。

⑵　長女Bが生前贈与加算された贈与財産は、令和５年５月に贈与された株式5,000,000円（国外財産）及び令和７年３月に贈与された社債3,000,000円（国外財産）である。

なお、株式については現地の法令により贈与税に相当する税1,200,000円が課されており、社債については現地の法令により贈与税に相当する税800,000円が課されている。

⑶　配偶者乙及び長男Aが生前贈与加算された贈与財産は、令和６年９月に贈与された土地（国内財産に該当し、配偶者乙及び長男Aの持分２分の１ずつ）である。

→ 答案用紙6／ 解答・解説　3－11

問題7　贈与税の外国税額控除

基本　12分

次の資料により、令和５年分の長男Ａの納付すべき贈与税額を計算するとともに、被相続人甲の相続に係る生前贈与加算額及び贈与税額控除額を計算しなさい。

1　被相続人甲は、令和７年２月１日に千葉県柏市の自宅で死亡しており、相続人等の状況は次のとおりである。なお、下記に掲げる者は全員、被相続人甲から相続又は遺贈により財産を取得している。

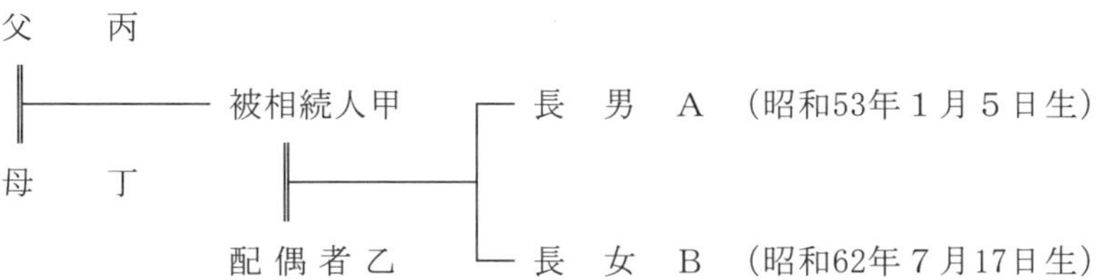

（注）　相続人等はすべて居住無制限納税義務者に該当する。

2　被相続人甲は相続人等に対して生前に次のような財産（特に指示のあるものを除き、すべて国内財産である。）の贈与を行っていた。なお、各受贈者はこれらの財産の贈与につき適正に申告及び納付を行っていた。また、各贈与時における被相続人甲の住所は、千葉県柏市であった。

贈与年月日	受贈者	贈与財産	贈与時の時価	相続開始時の時価	備考
令和４年５月15日	父　丙	現　金	1,200,000円	1,200,000円	
令和４年６月10日	母　丁	株　式	1,000,000円	1,150,000円	
令和４年７月15日	長女Ｂ	預　金	5,000,000円	5,001,000円	
令和５年８月８日	長男Ａ	外国国債	6,000,000円	5,800,000円	（注）
令和５年12月25日	長男Ａ	日本国債	2,000,000円	2,000,000円	

（注）　この外国国債の取得につき現地の法令により贈与税に相当する税額600,000円が課せられている。

解答　問題1　未成年者控除

長女Ｂ　非居住制限納税義務者のため適用なし

二男Ｃ　100,000円×(18歳－15歳)＝300,000円

二女Ｄ　100,000円×(18歳－６歳)＝1,200,000円

孫　Ｅ　法定相続人でないため適用なし

解説

①　無制限納税義務者が適用要件です。長女Ｂは非居住制限納税義務者であるため適用はありません。

②　二男Ｃは相続の放棄をしていますが、法定相続人に適用される規定ですので適用があります。また、孫Ｅは法定相続人でないため、適用はありません。

解答　問題2　未成年者控除（扶養義務者からの控除）

（単位：円）

配偶者乙　192,000

長　男　Ａ　121,600

長　女　Ｂ　134,400

二　女　Ｃ　100,000×(18歳－16歳)＝200,000 ≦ 1,000,000　∴　200,000

200,000＋32,000＝232,000

三　女　Ｄ　100,000×(18歳－12歳)＝600,000 ＞ 120,000　∴　120,000

〔各扶養義務者のあん分額〕

配偶者乙　※1 480,000 × $\frac{6,000,000}{※2\ 15,000,000}$ ＝192,000

長　男　Ａ　※1 480,000 × $\frac{3,800,000}{※2\ 15,000,000}$ ＝121,600

長　女　Ｂ　※1 480,000 × $\frac{4,200,000}{※2\ 15,000,000}$ ＝134,400

二　女　Ｃ　※1 480,000 × $\frac{1,000,000}{※2\ 15,000,000}$ ＝ 32,000

※１　600,000－120,000＝480,000

※２　6,000,000＋3,800,000＋4,200,000＋1,000,000＝15,000,000

解説

扶養義務者の範囲として、配偶者、直系血族及び兄弟姉妹を押さえておいてください。

扶養義務者からの控除は、皆さんが求めた算出税額を基に計算することとなりますので、算式に配点が置かれます。

解答　問題3　障害者控除

三男C　100,000×(85歳－43歳)＝4,200,000円

孫　D　非居住無制限納税義務者のため適用なし

孫　E　200,000×(85歳－21歳)＝12,800,000円

解説

身体障害者手帳に身体上の障害の程度が１級又は２級と記載されていれば特別障害者に該当し、３級から６級と記載されていれば一般障害者に該当します。

解答　問題4　障害者控除（既控除者の控除限度額）

長女A　（単位：円）

(1)　100,000×(85歳－44歳)＝4,100,000

(2)　100,000×(85歳－16歳)－3,240,000＝3,660,000

(3)　(1) ＞ (2)　∴　3,660,000

長男B

(1)　200,000×(85歳－42歳)＝8,600,000

(2)　(1)＋100,000×※29年－3,420,000＝8,080,000

※　平成８年10月～令和７年４月 → 29年（１年未満切上）

(3)　(1) ＞ (2)　∴　8,080,000

【図　解】

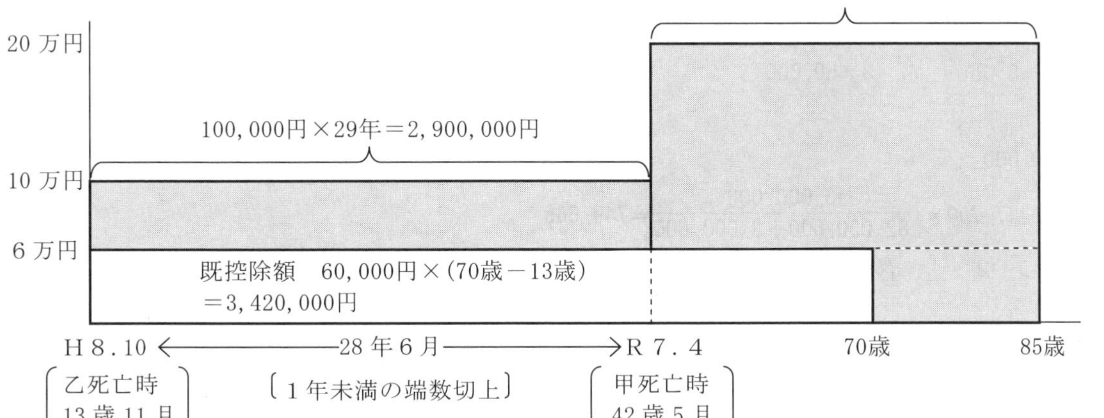

解説

＜一般障害者から特別障害者へ障害の程度が変わった場合＞

(1)　20万円 ×（85歳－今回の相続時の年齢）

(2)　(1)＋10万円×前回の相続から今回の相続までの既経過年数(１年未満切上)－既控除額

(3)　(1)と(2)のいずれか低い金額

解答　問題5　相次相続控除

(1)　控除総額　（単位：円）

$$6,000,000\times\frac{334,000,000}{110,000,000-6,000,000}\left(>\frac{100}{100}\ \therefore\ \frac{100}{100}\right)\times\frac{10-{}^{※}7}{10}=1,800,000$$

※　平成29年10月～令和７年４月　→　７年（１年未満切捨）

(2)　各人の控除額

$$\left.\begin{array}{l}\text{長男A}\\ \text{長女B}\end{array}\right\}1,800,000\times\left\{\begin{array}{l}\dfrac{42,090,000}{334,000,000}=226,832\\ \dfrac{48,730,000}{334,000,000}=262,616\end{array}\right.$$

配偶者乙、弟C及び妹Dは相続人でないため適用なし

解説

①　相次相続控除の計算は、純資産価額と問題文からピックアップする数字で構成されます。基本算式に正確に数値が代入できるようにしてください。

②　第１次相続開始の時から第２次相続開始の時までの期間Eの計算では、納税者有利に考えて１年未満の端数を切り捨てます。

解答　問題6　相続税の外国税額控除

長男A　（単位：円）

(1)　3,450,000

(2)　$23,106,600\times\dfrac{22,000,000-4,000,000}{100,000,000}=4,159,188$

(3)　(1) ＜ (2)　∴　3,450,000

長女B

(1)　800,000

(2)　$21,237,700\times\dfrac{3,000,000}{82,000,000+3,000,000}=749,565$

(3)　(1) ＞ (2)　∴　749,565

解説

①　長男Aが相続により取得した国外財産には、その財産に係る債務があるのでその債務を分子の金額から控除することを忘れないようにしてください。

②　長女Bは相続開始年に国外財産を贈与により取得し、現地の法令により贈与税に相当する税が課されていますが、相続開始年に贈与により取得した国外財産については、相続税の外国税額控除の対象となります。また、その相続開始年に贈与により取得した国外財産の価額は、控除算式の分子に計上するとともに分母にも加算する点に注意してください。

解答　問題7　贈与税の外国税額控除

令和５年分の納付すべき贈与税額		(単位：円)
受　贈　者	計　　算　　過　　程	納付すべき贈与税額
長　男　Ａ	(6,000,000＋2,000,000－1,100,000)×30％－900,000＝1,170,000 1,170,000－※600,000＝570,000 ※　贈与税の外国税額控除 (1)　600,000 (2)　$1,170,000 \times \frac{6,000,000}{6,000,000+2,000,000} = 877,500$ (3)　(1) ＜ (2)　　∴　600,000	570,000

1　相続税の課税価格に加算する贈与財産価額の計算			(単位：円)
贈与年分	受　贈　者	計　　算　　過　　程	課税価格に加算される金額
令和４年	父　　丙		1,200,000
令和４年	母　　丁		1,000,000
令和４年	長　女　Ｂ		5,000,000
令和５年	長　男　Ａ	6,000,000＋2,000,000＝8,000,000	8,000,000

2　贈与税額控除額の計算		(単位：円)
対　象　者	計　　算　　過　　程	金　　額
父　　丙	(1,200,000－1,100,000)×10％＝10,000	△　10,000
母　　丁	1,000,000 ≦ 1,100,000　　∴　0	0
長　女　Ｂ	(5,000,000－1,100,000)×15％－100,000＝485,000	△　485,000
長　男　Ａ	(6,000,000＋2,000,000－1,100,000)×30％－900,000＝1,170,000	△1,170,000

解説

①　各年分の納付すべき贈与税額の計算では、日本で課せられる贈与税額と外国で課せられる税との二重課税の調整のため、外国で課せられた税は控除します。（贈与税の外国税額控除）

②　生前贈与加算により国内財産及び国外財産双方に相続税が課せられることから、贈与税額控除の計算に当たっては、贈与税の外国税額控除前の金額が控除額となることに注意してください。

········ *Memorandum Sheet* ········

Chapter 4

住宅取得等資金

No	内　容	標準時間	1回目	2回目	3回目
問題１	住宅取得等資金に係る相続時精算課税の特例	６分	／	／	／
問題２	住宅取得等資金の贈与税の非課税①	６分	／	／	／
問題３	住宅取得等資金の贈与税の非課税②	12分	／	／	／

➜ 解答・解説　4－4

問題１　住宅取得等資金に係る相続時精算課税の特例

基本　6分

次の資料により、長男Ａ及び二男Ｂの各年分の納付すべき贈与税額を求めなさい。長男Ａ及び二男Ｂが贈与により取得した財産は次のとおりである。

贈与年月日	贈与者	受贈者	贈与財産	贈与時の価額
令和４年５月５日	父甲（58歳）	長男Ａ	現金	20,000千円
令和４年６月30日	母乙（55歳）	長男Ａ	株式	6,000千円
令和５年５月２日	父甲（59歳）	二男Ｂ	現金	29,000千円
令和５年９月30日	父甲（59歳）	長男Ａ	社債	18,000千円
令和６年12月20日	父甲（61歳）	二男Ｂ	預金	10,000千円

（注）　長男Ａは令和４年分より、また二男Ｂは令和５年分より父甲からの贈与について住宅取得等資金に係る相続時精算課税選択届出書を提出している。

➜ 解答・解説　4－4

問題２　住宅取得等資金の贈与税の非課税①

基本　6分

次の各設問について答えなさい。なお、取得する住宅用家屋は、省エネ等住宅には該当しないものとする。

（設問１）

長男Ａ（平成11年３月22日生まれ）は、令和７年11月に父甲から現金15,000千円、12月には母乙から株式8,000千円の贈与を受けている。

なお、長男Ａは、令和７年分の父甲からの贈与につき住宅取得等資金の贈与税の非課税の適用を受ける旨を記載した期限内申告書を提出している。

この場合における長男Ａの令和７年分の納付すべき贈与税額を求めなさい。

（設問２）

長女Ｂ（平成９年10月14日生まれ）は、令和７年10月に父甲から現金28,000千円及び国債12,000千円の贈与を受けている。

なお、長女Ｂは、令和７年分の父甲からの贈与につき住宅取得等資金に係る相続時精算課税の特例及び住宅取得等資金の贈与税の非課税の適用を受けるための手続を適法に行っている。

この場合における長女Ｂの令和７年分の納付すべき贈与税額を求めなさい。

➜ 解答・解説 4－5

問題3 住宅取得等資金の贈与税の非課税②  応用 12分

次の各設問について答えなさい。なお、取得する住宅用家屋は、省エネ等住宅に該当するものとする。

（設問1） 二男C（平成12年8月15日生まれ）の生前贈与加算額及び贈与税額控除額（暦年課税分）を求めなさい。

なお、二男Cは、父である被相続人甲（令和7年4月25日死亡）から相続により財産を取得している。

また、二男Cは以下に掲げる財産の贈与を受けている。

贈与年月日	贈与者	贈与財産	贈与時の時価
令和6年6月6日	父　甲	現　金	25,000千円
令和6年10月19日	母　乙	ゴルフ会員権	5,000千円

（注） 二男Cは、令和6年分の父甲からの贈与につき、住宅取得等資金の贈与税の非課税の適用を受ける旨を記載した期限内申告書を提出している。

（設問2） 二女D（平成10年7月8日生まれ）及び三女E（平成13年2月23日生まれ）の相続時精算課税適用財産の額及び贈与税額控除額（相続時精算課税分）を求めなさい。

なお、二女Dは、父である被相続人甲（令和7年4月2日死亡）から相続により財産を取得している。。

また、二女D及び三女Eは、被相続人甲から以下に掲げる財産の贈与を受けている。

贈与年月日	受贈者	贈与財産	贈与時の時価	相続開始時の時価	（注）
令和4年9月10日	二女D	現　金	30,000,000円	30,000,000円	1
令和5年5月2日	二女D	現　金	20,000,000円	20,000,000円	2
令和5年9月9日	三女E	現　金	22,000,000円	22,000,000円	3
令和6年4月15日	三女E	現　金	20,000,000円	20,000,000円	4

（注）1　二女Dは、令和4年分の父甲からの贈与につき、住宅取得等資金に係る相続時精算課税の特例の適用を受けている。

2　二女Dは、令和5年分の父甲からの贈与につき、住宅取得等資金の贈与税の非課税の適用を受けている。

3　三女Eは、令和5年分の父甲からの贈与につき、住宅取得等資金に係る相続時精算課税の特例の適用を受けている。

4　三女Eは、令和6年分の父甲からの贈与につき、住宅取得等資金の贈与税の非課税の適用を受けている。

解答 問題1　住宅取得等資金に係る相続時精算課税の特例

1　長男Ａ　（単位：千円）

⑴　令和４年分

①　甲からの贈与　20,000－※20,000＝0

※　20,000 ≦ 25,000　∴　20,000

②　乙からの贈与

(6,000－1,100)×20%－300＝680

③　①＋②＝680

⑵　令和５年分

甲からの贈与

(18,000－※5,000)×20%＝2,600

※　18,000 ＞ 25,000－20,000＝5,000　∴　5,000

2　二男Ｂ

⑴　令和５年分

(29,000－※25,000)×20%＝800

※　29,000 ＞ 25,000　∴　25,000

⑵　令和６年分

(10,000－1,100)×20%＝1,780

解説

住宅取得等資金について相続時精算課税の特例を選択した場合には、以後その住宅取得等資金の贈与者からの贈与については、相続時精算課税の特例が適用されることとなります。

解答 問題2　住宅取得等資金の贈与税の非課税①

（設問１）　（単位：円）

(15,000,000－※5,000,000＋8,000,000－1,100,000)×45%－2,650,000＝4,955,000

※　15,000,000 ＞ 5,000,000　∴　5,000,000

（設問２）

(28,000,000－※1 5,000,000＋12,000,000－1,100,000－※2 25,000,000)×20%＝1,780,000

※１　28,000,000 ＞ 5,000,000　∴　5,000,000

※２　28,000,000－5,000,000＋12,000,000－1,100,000＝33,900,000 ＞ 25,000,000

∴　25,000,000

解説

贈与日が（設問１）及び（設問２）ともに令和４年１月１日以降のため非課税金額はいずれも500万円となります。

解答 問題３　住宅取得等資金の贈与税の非課税②

（設問１）　　（単位：円）

⑴　生前贈与加算額

25,000,000－※10,000,000＝15,000,000

※　25,000,000 ＞ 10,000,000　　∴　10,000,000

⑵　贈与税額控除額（暦年課税分）

(15,000,000＋5,000,000－1,100,000)×45％－2,650,000＝5,855,000

$$5,855,000 \times \frac{15,000,000}{15,000,000+5,000,000} = 4,391,250$$

（設問２）

二女Ｄ

⑴　相続時精算課税適用財産の額

①　令和４年　30,000,000

②　令和５年　20,000,000－※10,000,000＝10,000,000

※　20,000,000 ＞ 10,000,000　　∴　10,000,000

③　①＋②＝40,000,000

⑵　贈与税額控除額（相続時精算課税分）

①　令和４年　(30,000,000－※25,000,000)×20％＝1,000,000

※　30,000,000 ＞ 25,000,000　　∴　25,000,000

②　令和５年　10,000,000×20％＝2,000,000

③　①＋②＝3,000,000

三女Ｅ

⑴　相続時精算課税適用財産の額

①　令和５年　22,000,000

②　令和６年　20,000,000－※10,000,000－1,100,000＝8,900,000

※　20,000,000 ＞ 10,000,000　　∴　10,000,000

③　①＋②＝30,900,000

⑵　贈与税額控除額（相続時精算課税分）

①　令和５年　22,000,000－※22,000,000＝0

※　22,000,000 ≦ 25,000,000　∴　22,000,000

②　令和６年　(10,000,000－1,100,000－※3,000,000)×20％＝1,180,000

※　10,000,000－1,100,000＝8,900,000 ＞ 25,000,000－22,000,000＝3,000,000

∴　3,000,000

③　①＋②＝1,180,000

● 住宅取得等資金の非課税

<table>
<tr><th>項目</th><th colspan="2">要件等</th></tr>
<tr><td>適用期間</td><td colspan="2">令和４年１月１日～令和８年12月31日まで</td></tr>
<tr><td rowspan="2">対象者</td><td>贈与者</td><td>受贈者の直系尊属（父母又は祖父母等）</td></tr>
<tr><td>受贈者</td><td>・居住無制限納税義務者又は非居住無制限納税義務者
・贈与者の直系卑属（子又は孫等）
・贈与年の１月１日において18歳以上
（令和４年３月31日以前の贈与は20歳以上）
・合計所得金額2,000万円以下の者
（新築等をした住宅用家屋の床面積が40㎡以上50㎡未満である場合は1,000万円以下の者）</td></tr>
<tr><td>対象財産</td><td colspan="2">金銭のみ</td></tr>
<tr><td>住宅取得資金等の使途</td><td colspan="2">①　住宅用家屋の新築
②　中古住宅用家屋の購入
③　住宅用家屋の増改築
④　①から③とともに取得するその敷地の用に供されている土地等の取得
⑤　住宅用家屋の新築に先行してするその敷地の用に供されることとなる土地等の取得</td></tr>
<tr><td>非課税金額</td><td colspan="2">省エネ等住宅…1,000万円
上記以外の家屋…500万円</td></tr>
</table>

過去の非課税金額

<table>
<tr><td rowspan="2">非課税金額</td><td>消費税率8%の場合</td><td>①　平成27年12月31日までの間に締結した契約
➜　1,000万円（1,500万円）(注)
②　平成28年１月１日から令和２年３月31日までの間に締結した契約
➜　700万円（1,200万円）(注)</td></tr>
<tr><td>消費税率10%の場合</td><td>①　平成31年４月１日から令和２年３月31日までの間に締結した契約
➜　2,500万円（3,000万円）(注)
②　令和２年４月１日から令和３年12月31日までの間に締結した契約
➜　1,000万円（1,500万円）(注)
(注) ※省エネ等住宅の場合には、カッコ書きの金額となります。</td></tr>
</table>

※　省エネ等住宅とは、エネルギーの使用の合理化に著しく資する住宅用の家屋、大規模な地震に対する安全性を有する住宅用の家屋又は高齢者等が自立した日常生活を営むのに特に必要な構造及び設備の基準に適合する住宅用の家屋をいいます。

Chapter 5

教育、結婚・子育て資金

No	内　容	標準時間	1回目	2回目	3回目
問題１	教育資金の非課税①	5分	／	／	／
問題２	教育資金の非課税②	5分	／	／	／
問題３	教育資金の非課税③	5分	／	／	／
問題４	結婚・子育て資金の非課税①	5分	／	／	／
問題5	結婚・子育て資金の非課税②	5分	／	／	／
問題６	結婚・子育て資金の非課税③	5分	／	／	／

➜ 解答・解説 5－4

問題1 教育資金の非課税①

基本 5分

次の資料により各設問の受贈者A及びBに係る各年分の贈与税額を計算しなさい。

（設問1）

Aは、令和6年5月7日に祖父甲から教育資金として現金15,000千円の贈与を受け、同日X銀行で教育資金管理契約に基づく教育資金口座を開設し、同口座に全額を預け入れた。Aは令和6年分の贈与税につき、教育資金の一括贈与を受けた場合の贈与税の非課税の適用を受けている。

（設問2）

Bは、令和4年5月8日に祖母乙から教育資金として現金10,000千円の贈与を受け、同日Y銀行で教育資金管理契約に基づく教育資金口座を開設し、同口座に全額を預け入れた。さらに、Bは令和6年5月14日に追加の教育資金として現金5,000千円の贈与を受け同口座に入金した。Bは令和4年分及び令和6年分の贈与税につき、教育資金の一括贈与を受けた場合の贈与税の非課税の適用を受けている。

➜ 解答・解説 5－4

問題2 教育資金の非課税②

応用 5分

次の資料により各設問の場合における相続税の課税対象となる管理残額を答えなさい。

（設問1）

上記の問題1（設問1）において、祖父甲が令和7年4月20日に死亡した場合。

祖父甲の死亡時においてAは24歳（大学院に在学中）で、教育資金非課税拠出額から教育資金支出額を控除した残額は8,000千円である。なお、祖父甲に係る相続税の課税価格の合計額は5億円以下である。

（設問2）

上記の問題1（設問2）において、祖母乙が令和7年5月25日に死亡した場合。

祖母乙の死亡時においてBは28歳（学校等に在学中又は教育訓練の受講中ではない。）で、教育資金非課税拠出額から教育資金支出額を控除した残額は6,000千円である。なお、Bは令和4年8月20日に4,000千円、令和6年5月30日に5,000千円を教育資金として口座から払い出している。

➜ 解答・解説 5－5

問題3 教育資金の非課税③

応用 5分

次の資料により教育資金管理契約終了時における受贈者Cに係る贈与税の課税価格を答えなさい。

Cは、平成26年4月15日祖父甲から教育資金として12,000千円の贈与を受け、Z銀行と教育資金管理契約に基づく教育資金口座を開設し、同口座に全額を預け入れて教育資金の一括贈与を受けた場合の贈与税の非課税の適用を受けていたが、その後、Cが30歳に達したことにより、教育資金口座に係る契約が終了した。Cは高校入学資金及び授業料として2,500千円、大学入学資金及び授業料として7,500千円を教育資金口座から払出している。なお、Z銀行に提出した領収書に記載された実際の支払い金額は2,000千円及び7,000千円である。

➜ 解答・解説　5−5

問題4　結婚・子育て資金の非課税①

基本　5分

次の資料により受贈者Aに係る令和6年分の贈与税額を計算しなさい。

Aは令和6年5月15日に祖父甲から現金6,000千円、6月20日に祖母乙からも現金4,000千円の贈与を受け、同日X銀行で結婚・子育て資金管理契約に基づく結婚・子育て資金口座を開設し、同口座に全額を預け入れた。Aは令和6年分の贈与税につき、結婚・子育て資金の一括贈与を受けた場合の贈与税の非課税の適用を受けている。

➜ 解答・解説　5−6

問題5　結婚・子育て資金の非課税②

応用　5分

次の資料により管理残額を答えなさい。

上記の問題4において、祖父甲が令和7年6月10日に死亡した場合

祖父甲の死亡時において、結婚・子育て資金非課税拠出額から結婚・子育て資金支出額を控除した残額は8,000千円である。

➜ 解答・解説　5−6

問題6　結婚・子育て資金の非課税③

応用　5分

次の資料により結婚･子育て管理契約終了時における受贈者Bに係る贈与税の課税価格を答えなさい。

Bは、令和7年3月15日祖父甲から結婚・子育て資金として10,000千円の贈与を受け、Y銀行と結婚・子育て資金管理契約に基づく結婚・子育て資金口座を開設し、同口座に全額を預け入れて結婚・子育て資金の一括贈与を受けた場合の贈与税の非課税の適用を受けていたが、その後、Bが50歳に達したことにより、結婚・子育て資金口座に係る契約が終了した。Bは結婚費用として4,000千円、出産費用として5,000千円を結婚・子育て資金口座から払出している。なお、Y銀行に提出した領収書に記載された実際の支払い金額も同額である。

解答　問題1　教育資金の非課税①

（設問１）　　（単位：千円）

令和６年分の贈与税額

15,000－※15,000＝0　　※　15,000 ≦ 15,000　　∴　15,000

（設問２）

令和４年分の贈与税額

10,000－※10,000＝0　　※　10,000 ≦ 15,000　　∴　10,000

令和６年分の贈与税額

5,000－※5,000＝0　　※　5,000 ≦ 15,000－10,000＝5,000　　∴　5,000

解説

（設問１）

教育資金に係る贈与税の非課税は、受贈者ごとに15,000千円が限度額です。

（設問２）

教育資金の非課税限度額15,000千円に達するまではその残額につき追加教育資金として非課税の適用を受けることができます。

解答　問題2　教育資金の非課税②

（設問１）

―

（設問２）

6,000千円

解説

（設問１）

贈与者甲の死亡時においてＡは大学院に在学中であり、祖父甲に係る相続税の課税価格の合計額が５億円以下であるため、管理残額の課税は生じません。

（設問２）

贈与者乙の死亡時においてＢは23歳未満、学校等に在学中、教育訓練の受講中のいずれにも該当しませんので、一定の管理残額について相続税の課税が生じます。

管理残額

非課税拠出額の合計額1,500万円－支出額の合計額900万円＝口座残高600万円

解答　問題3　教育資金の非課税③

12,000千円－(2,000千円＋7,000千円)＝3,000千円

解説

契約終了時に、非課税拠出額から教育資金支出額を控除した残額がある場合には、その残額について贈与税が課税されます。なお、教育資金口座から払い出した金額が実際に学校等への支払い金額よりも多い場合には、その支払い金額が銀行で記録されて教育資金支出額となります。

【図　解】

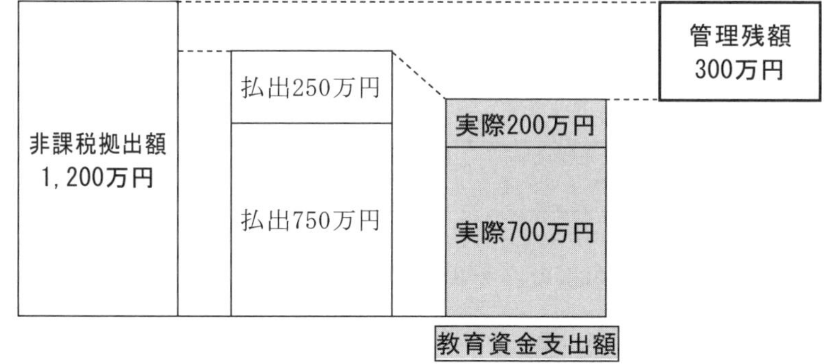

解答　問題4　結婚・子育て資金の非課税①

6,000千円＋4,000千円－※10,000千円＝0円

※　6,000千円＋4,000千円＝10,000千円 ≦ 10,000千円　　∴　10,000千円

解説

贈与者が複数人となる場合でも受贈者1人につき10,000千円までが非課税の限度額です。

解答　問題5　結婚・子育て資金の非課税②

$$8,000千円 \times \frac{6,000千円}{6,000千円+4,000千円} = 4,800千円$$

解説

贈与者死亡時において、非課税拠出額から結婚・子育て資金支出額を控除した残額のうちその贈与者の拠出割合に応じた残額の一部が管理残額となります。

【図　解】

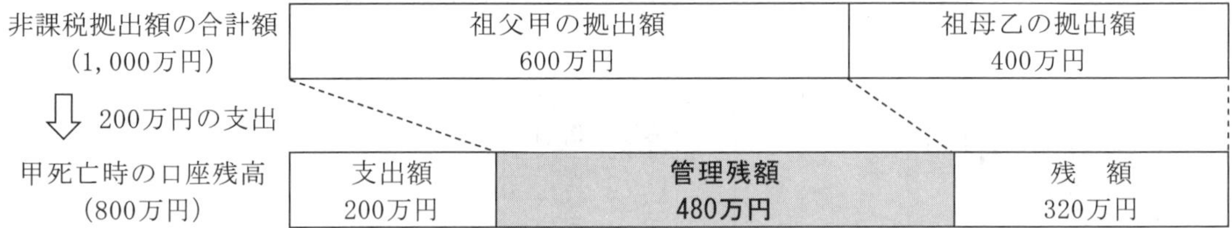

非課税拠出額の合計額1,000万円－支出額200万円＝甲死亡時の口座残高800万円

$$800万円 \times \frac{今回死亡した祖父甲の拠出額(600万円)}{祖父甲の拠出額と祖母乙の拠出額との合計額(1,000万円)}$$〔**甲の拠出割合60%**〕＝480万円

解答　問題6　結婚・子育て資金の非課税③

10,000千円－(※3,000千円＋5,000千円)＝2,000千円

※　4,000千円 ＞ 3,000千円　　∴　3,000千円

解説

結婚資金については、300万円が限度額となります。

【図　解】

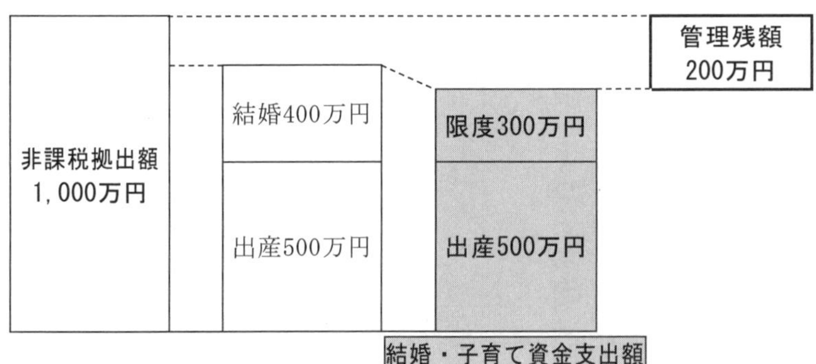

Chapter 6

財産評価の概要

No	内　容	標準時間	1回目	2回目	3回目
問題1	邦貨換算等	5分	／	／	／

→ 解答・解説 6－3

問題1 邦貨換算等

基本 5分

被相続人甲（令和７年４月18日死亡）の相続に際し、配偶者乙が取得及び負担をした次の遺贈財産の円換算後の評価額及び債務控除額を求めなさい。なお、配偶者乙は居住無制限納税義務者に該当する。

1　遺贈財産

(1)　米国所在土地　　　　　50,000米ドル

(2)　米ドル建定期預金　　　40,000米ドル

この米ドル建定期預金については先物外国為替契約を締結しており、その為替予約レートは１米ドル115.00円である。

(3)　ユーロ建定期預金　　　20,000ユーロ

このユーロ建定期預金については、為替予約をしていない。

2　債務

(1)　銀行借入金　　　　　　24,000ユーロ

(2)　米国における未納公租公課　　8,000米ドル

＜米ドル相場＞

	４月16日	４月17日・４月18日	４月19日
対顧客直物電信売相場（ＴＴＳ）	117.13円	取引なし	116.95円
仲　　　　値（ＴＴＭ）	116.13円	取引なし	115.95円
対顧客直物電信買相場（ＴＴＢ）	115.13円	取引なし	114.95円

＜ユーロ相場＞

	４月16日	４月17日・４月18日	４月19日
対顧客直物電信売相場（ＴＴＳ）	126.55円	取引なし	126.08円
仲　　　　値（ＴＴＭ）	125.05円	取引なし	125.58円
対顧客直物電信買相場（ＴＴＢ）	124.55円	取引なし	124.08円

解答　問題1　邦貨換算等

1　遺贈財産　　　　　　　　　　　　　　　　　　　　　　　　　　　　　　　　　　　　（単位：円）

(1)　米国所在土地　　50,000米ドル×115.13=5,756,500

(2)　米ドル建定期預金　40,000米ドル×115.00=4,600,000

(3)　ユーロ建定期預金　20,000ユーロ×124.55=2,491,000

2　債務控除

(1)　銀行借入金　　24,000ユーロ×126.55=3,037,200

(2)　未納公租公課　　8,000米ドル×117.13=937,040

解説

①　米ドル建定期預金については、先物外国為替契約を締結しているため、為替予約レートで換算する。

②　ユーロ建定期預金については、為替予約をしていないため、課税時期における取引銀行の最終の対顧客直物電信買相場で換算する。なお、課税時期に相場がないため、課税時期前の相場のうち、課税時期に最も近い日の相場とする。

Ch 1 Ch 2 Ch 3 Ch 4 Ch 5 Ch 6 Ch 7 Ch 8 Ch 9 Ch 10 総合問題

Memorandum Sheet

Chapter 7

不動産の評価Ⅰ

No	内　　容	標準時間	1回目	2回目	3回目
問題1	宅地の評価	15分	／	／	／
問題2	間口が狭小な宅地等の評価	6分	／	／	／
問題3	家屋の評価	3分	／	／	／
問題4	貸家の評価	3分	／	／	／
問題5	宅地の利用形態による評価	12分	／	／	／
問題6	使用貸借	3分	／	／	／

→ 解答・解説 7－9

問題１ 宅地の評価

重要 基本 15分

次の各設問における宅地の相続税評価額を計算しなさい。

（設問１）

宅地Ａ

⑴	固定資産税評価額	22,000,000円
⑵	国土交通省の公示価格に基づく価額	30,000,000円
⑶	不動産鑑定士による評価額	35,500,000円
⑷	倍率	2.0

（設問２）

宅地Ｂ

⑴	固定資産税評価額	7,000,000円
⑵	倍率	3.0
⑶	登記簿上の地積	210㎡
⑷	実際の地積	225㎡

（設問３）

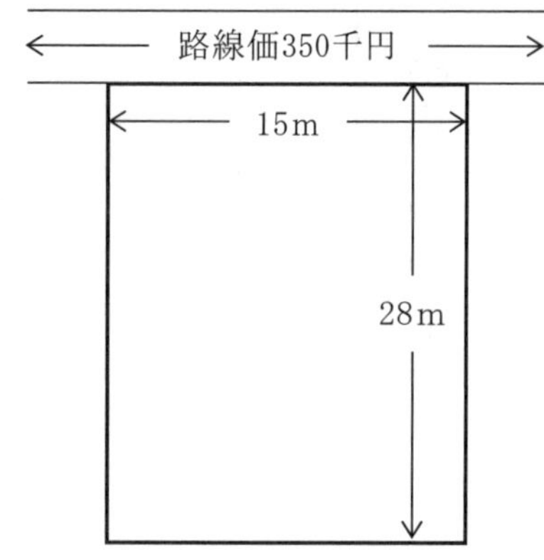

＜普通住宅地区＞

⑴ 奥行価格補正率

10m以上24m未満	1.00
28m以上32m未満	0.95

（設問４）

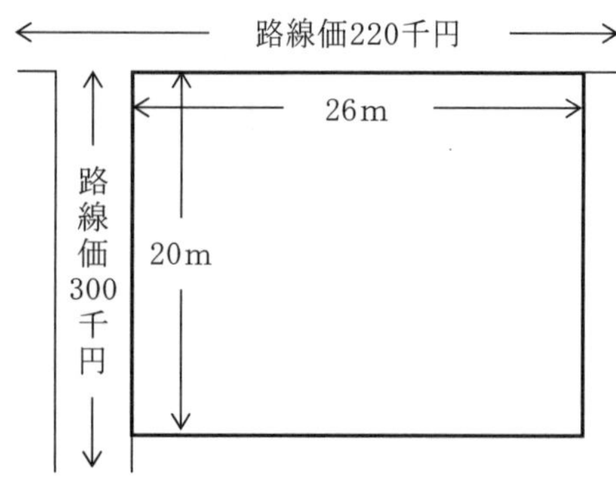

＜普通住宅地区＞

⑴ 奥行価格補正率

10m以上24m未満	1.00
24m以上28m未満	0.97

⑵ 側方路線影響加算率

角　地	0.03
準角地	0.02

（設問５）

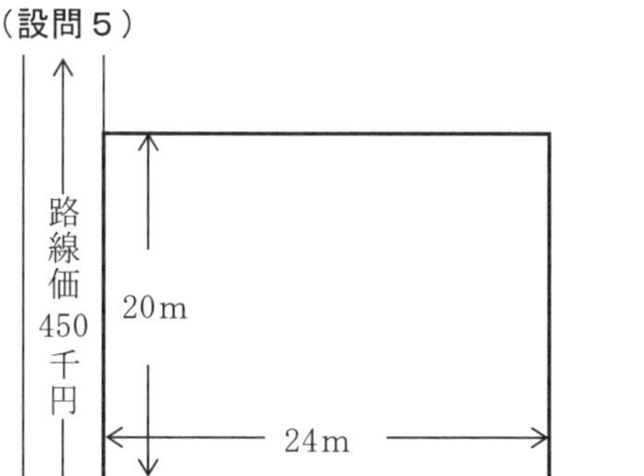

＜普通住宅地区＞

⑴　奥行価格補正率

10m以上24m未満　　1.00

24m以上28m未満　　0.97

⑵　側方路線影響加算率

角　地　　0.03

準角地　　0.02

（設問６）

25m

20m

路線価250千円

路線価300千円

＜普通住宅地区＞

⑴　奥行価格補正率

10m以上24m未満　　1.00

24m以上28m未満　　0.97

⑵　二方路線影響加算率　0.02

（設問７）

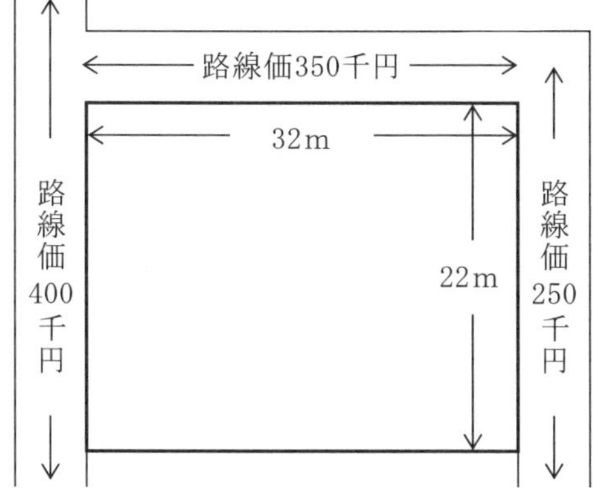

＜普通商業・併用住宅地区＞

⑴　奥行価格補正率

12m以上32m未満　　1.00

32m以上36m未満　　0.97

⑵　側方路線影響加算率

角　地　　0.08

準角地　　0.04

⑶　二方路線影響加算率　0.05

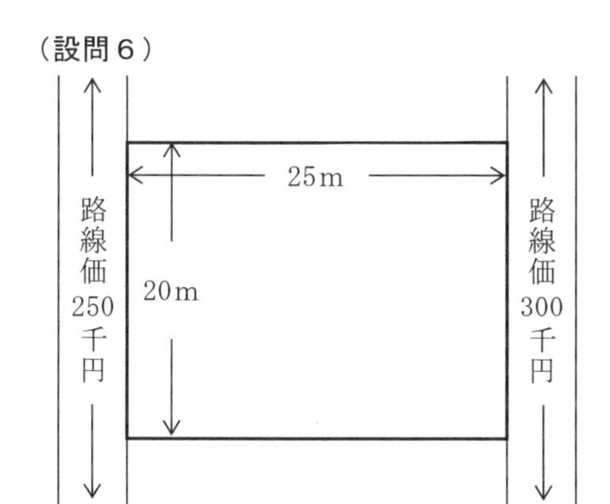

（設問８）

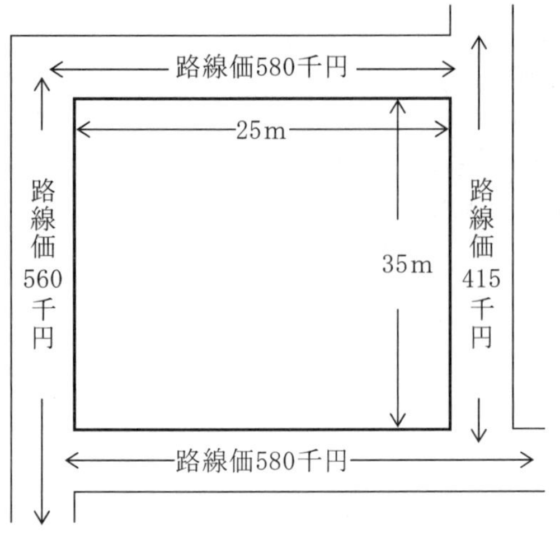

＜繁華街地区＞

⑴　奥行価格補正率

12m以上28m未満　1.00

32m以上36m未満　0.96

⑵　側方路線影響加算率

角　地　0.10

準角地　0.05

⑶　二方路線影響加算率　0.07

（設問９）

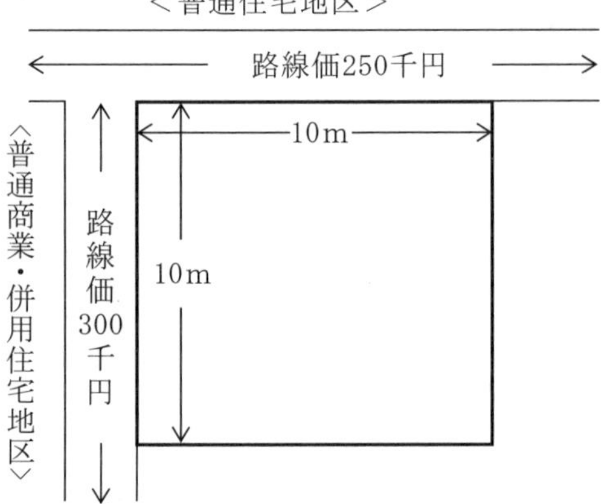

＜普通住宅地区＞

⑴　奥行価格補正率

10m以上24m未満　1.00

⑵　側方路線影響加算率

角　地　0.03

準角地　0.02

＜普通商業・併用住宅地区＞

⑴　奥行価格補正率

10m以上12m未満　0.99

⑵　側方路線影響加算率

角　地　0.08

準角地　0.04

➜ 解答・解説 7－10

問題2 間口が狭小な宅地等の評価

基本 6分

次の各設問における宅地の相続税評価額を計算しなさい。

（設問１）

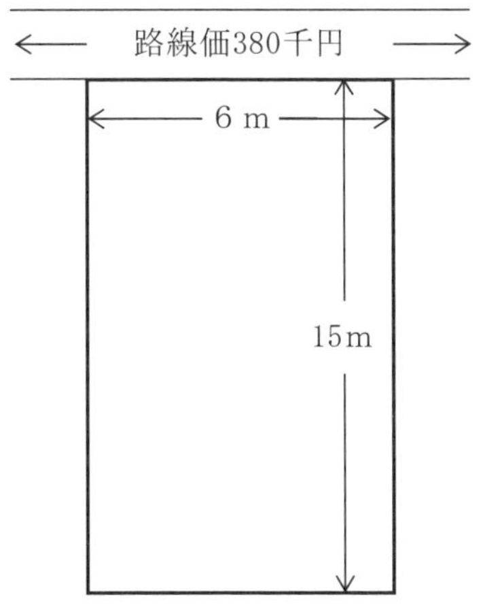

<普通住宅地区>

(1) 奥行価格補正率
10m以上24m未満 1.00

(2) 間口狭小補正率
4m以上 6m未満 0.94
6m以上 8m未満 0.97

(3) 奥行長大補正率
2以上 3未満 0.98

（設問２）

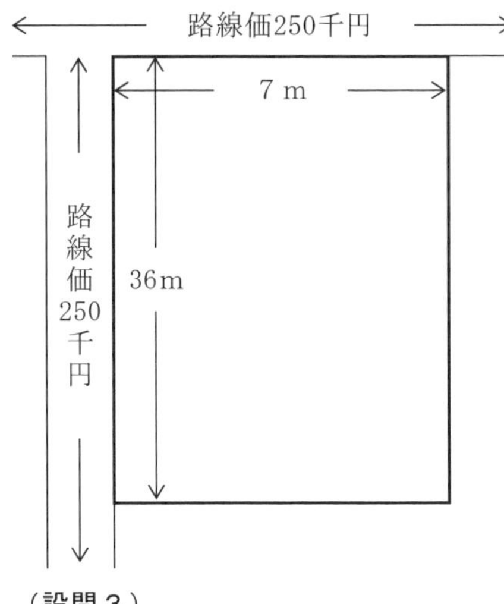

<普通住宅地区>

(1) 奥行価格補正率
6m以上 8m未満 0.95
36m以上40m未満 0.92

(2) 側方路線影響加算率
角 地 0.03
準角地 0.02

(3) 間口狭小補正率
6m以上 8m未満 0.97

(4) 奥行長大補正率
5以上 6未満 0.92

（設問３）

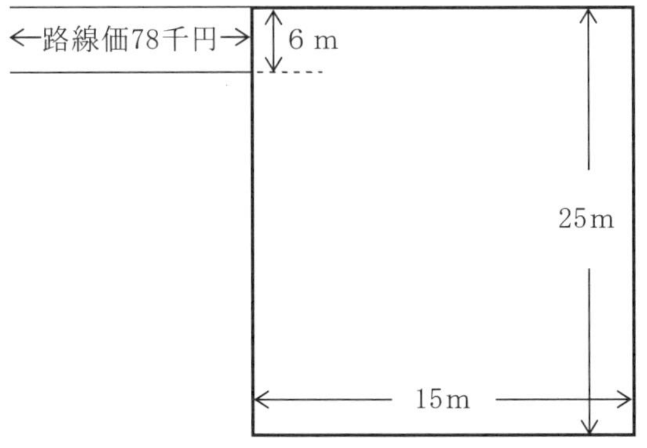

<普通住宅地区>

(1) 奥行価格補正率
10m以上24m未満 1.00

(2) 間口狭小補正率
6m以上 8m未満 0.97

(3) 奥行長大補正率
2以上 3未満 0.98

➜ 解答・解説　7－10

問題3　家屋の評価

基本　3分

次の各設問における家屋の相続税評価額を計算しなさい。

（設問１）

家屋Ａ

この家屋は、被相続人甲及びその家族の居住の用に供されていたものである。

⑴　固定資産税評価額　9,800,000円

⑵　不動産鑑定士による評価額　10,400,000円

（設問２）

家屋Ｂ

この家屋は、被相続人甲の営む事業の用に供されていた店舗である。

⑴　帳簿価額　8,550,000円

⑵　固定資産税評価額　9,900,000円

➜ 解答・解説　7－10

問題4　貸家の評価

重要　基本　3分

次の家屋の相続税評価額を計算しなさい。なお、借家権割合は30%であるものとする。

⑴　家屋Ａ　固定資産税評価額　11,500,000円

この家屋は、被相続人甲の居住の用に供されていたものである。

⑵　家屋Ｂ　固定資産税評価額　13,300,000円

この家屋は、被相続人甲が第三者に対して賃貸借契約により貸付けているものである。

→ 答案用紙7／解答・解説 7－11

問題5 宅地の利用形態による評価

基本 12分

次の宅地等の相続税評価額について、利用区分を示して計算しなさい。なお、借地権割合70%、借家権割合30%の地域に所在しているものとする。

(1) 宅地A（賃貸借契約により貸付けている）

①	固定資産税評価額	12,000,000円
②	国土交通省の公示価格に基づく価額	15,000,000円
③	不動産鑑定士による評価額	18,000,000円
④	倍率	3.0
⑤	登記簿上の地積	300㎡
⑥	実際の地積	311㎡

(2) 宅地B（賃貸借契約により借受けている）

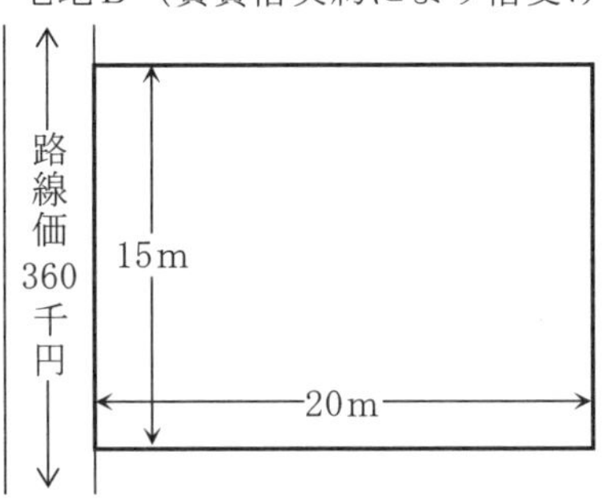

<普通住宅地区>

奥行価格補正率

10m以上24m未満　　1.00

(3) 宅地C

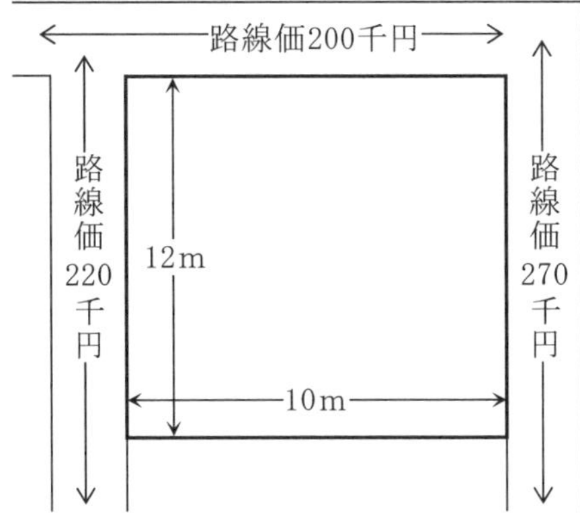

<普通住宅地区>

① 奥行価格補正率

10m以上24m未満　　1.00

② 側方路線影響加算率

角　地　　0.03

準角地　　0.02

③ 二方路線影響加算率　0.02

(4) 家屋D　　固定資産税評価額　　12,000,000円

この家屋は、上記(3)の宅地Cの上に建てられており、被相続人甲が適正な賃貸借契約により第三者に対して貸付けているものである。

⑸　宅地E（賃貸借契約により借受けている）

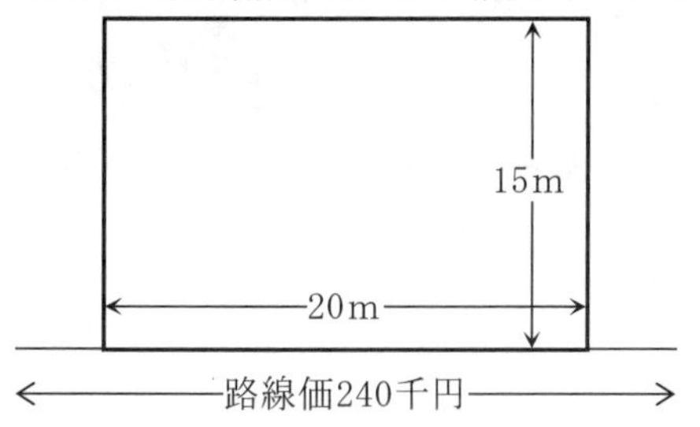

<普通住宅地区>
奥行価格補正率
10m以上24m未満　　1.00

⑹　家屋F　　　　固定資産税評価額　　　9,400,000円

この家屋は、上記⑸の借地権Eの上に建てられており、被相続人甲が適正な賃貸借契約により第三者に対して貸付けているものである。

⑺　宅地G（賃貸借契約により丙から借り受け、これを賃貸借契約により丁に貸付けている。）

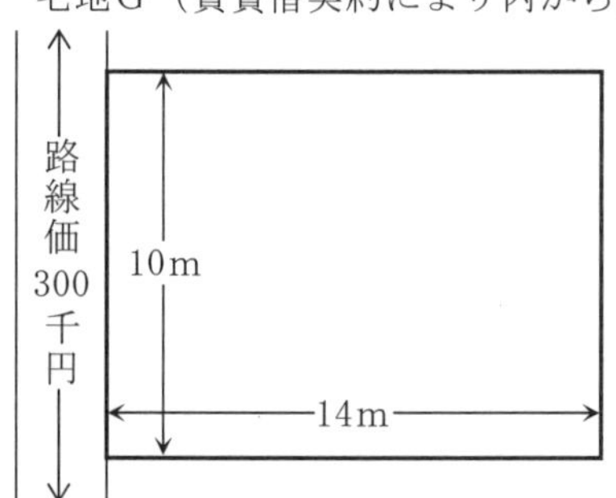

<普通住宅地区>
奥行価格補正率
10m以上24m未満　　1.00

→ 解答・解説　7−11

問題6　使用貸借　　重要　基本　3分

次の宅地の相続税評価額を計算しなさい。なお、これらの宅地は借地権割合60%、借家権割合30%の地域に存するものである。

⑴　宅地A　　自用地としての価額　　28,000,000円

この宅地は、被相続人甲が長女Aに対して使用貸借契約により貸付けており、長女Aは自己の居住用家屋の敷地の用に供していた。

⑵　宅地B　　自用地としての価額　　19,000,000円

この宅地は、被相続人甲が姉丙から使用貸借契約により借受けており、被相続人甲は自己の小売店店舗の敷地の用に供していた。

解答　問題1　宅地の評価

（設問1）　（単位：円）

宅地A　22,000,000×2.0＝44,000,000

（設問2）

宅地B　$7,000,000\times\frac{225m^2}{210m^2}\times3.0=22,500,000$

（設問3）

350,000×0.95×（15m×28m）＝139,650,000

（設問4）

(1)　300,000×0.97＋220,000×1.00×0.03＝297,600

(2)　(1)×（20m×26m）＝154,752,000

（設問5）

(1)　450,000×1.00＋450,000×0.97×0.02＝458,730

(2)　(1)×（24m×20m）＝220,190,400

（設問6）

(1)　300,000×0.97＋250,000×0.97×0.02＝295,850

(2)　(1)×（20m×25m）＝147,925,000

（設問7）

(1)　400,000×0.97＋350,000×1.00×0.08＋250,000×0.97×0.05＝428,125

(2)　(1)×（22m×32m）＝301,400,000

（設問8）

(1)　※560,000×1.00＋580,000×0.96×0.10＋580,000×0.96×0.05＋415,000×1.00×0.07＝672,570

※　560,000×1.00 ＞ 580,000×0.96＝556,800　∴　560,000（正面路線）

(2)　(1)×（35m×25m）＝588,498,750

（設問9）

(1)　300,000×0.99＋250,000×0.99×0.08＝316,800

(2)　(1)×（10m×10m）＝31,680,000

解説

（設問2） 縄のびが生じている場合には、まず固定資産税評価額を実際の地積ベースに修正後、倍率を乗じます。本問の場合には、倍率を乗じた後地積を修正しても結果は同じですが、金額が異なってくる場合があります。

（設問8） 路線価が均衡している場合には、必ず正面路線価決定の判定を行って下さい。

（設問9） 正面路線が「普通商業・併用住宅地区」であれば側方路線が「普通住宅地区」に所在していても、普通商業・併用住宅地区の奥行価格補正率及び側方路線影響加算率を採用します。

解答　問題2　間口が狭小な宅地等の評価

（設問１）　　　　　　　　　　　　　　　　　　　　　　　　　　　　　　　　（単位：円）

⑴　380,000×1.00×0.97×※0.98＝361,228　　※ $\frac{15m}{6m}$＝2.5　∴0.98

⑵　⑴×（６ｍ×15m）＝32,510,520

（設問２）

⑴　250,000×0.95＋250,000×0.92×0.03＝244,400

⑵　⑴×（36m×７ｍ）＝61,588,800

（設問３）

⑴　78,000×1.00×0.97×※0.98＝74,146（円未満切捨）　　※ $\frac{15m}{6m}$＝2.5　∴　0.98

⑵　⑴×（25m×15m）＝27,804,750

解説

①　間口が狭小であるか否かの判定は、正面路線に接している距離に基づき判定します。

②　地積を乗じる前で必ず金額を確定させ、円未満の端数があれば切捨てを行って下さい。

解答　問題3　家屋の評価

（設問１）　　　　　　　　　　　　　　　　　　　　　　　　　　　　　　　　（単位：円）

家屋Ａ　　9,800,000×1.0＝9,800,000

（設問２）

家屋Ｂ　　9,900,000×1.0＝9,900,000

解説

家屋の評価倍率は1.0ですから、固定資産税評価額がそのまま自用家屋の評価額となりますが、答案用紙には「×1.0」を書くようにしてください。

解答　問題4　貸家の評価

⑴　家屋Ａ　　11,500,000×1.0＝11,500,000　　　　　　　　　　　　（単位：円）

⑵　家屋Ｂ　　13,300,000×1.0×（１－0.3）＝9,310,000

解説

家屋Ｂの貸家は「自用家屋としての価額×（１－借家権割合）」により評価します。

なお、借家権割合は全国一律30％です。

解答 問題5　宅地の利用形態による評価

（単位：円）

	利用区分	計算過程	金額
宅地A	貸宅地	⑴　$12,000,000 \times \frac{311㎡}{300㎡} \times 3.0 = 37,320,000$ ⑵　⑴×（１－0.7）＝11,196,000	11,196,000
宅地B	借地権	⑴　360,000×1.00×（15m×20m）＝108,000,000 ⑵　⑴×0.7＝75,600,000	75,600,000
宅地C	貸家建付地	⑴　270,000×1.00＋200,000×1.00×0.02 ＋220,000×1.00×0.02＝278,400 ⑵　⑴×（12m×10m）＝33,408,000 ⑶　⑵×（１－0.7×0.3）＝26,392,320	26,392,320
家屋D	貸家	12,000,000×1.0×（１－0.3）＝8,400,000	8,400,000
宅地E	貸家建付借地権	⑴　240,000×1.00×（20m×15m）＝72,000,000 ⑵　⑴×0.7×（１－0.3）＝35,280,000	35,280,000
家屋F	貸家	9,400,000×1.0×（１－0.3）＝6,580,000	6,580,000
宅地G	転貸借地権	⑴　300,000×1.00×（10m×14m）＝42,000,000 ⑵　⑴×0.7×（１－0.7）＝8,820,000	8,820,000

解説

土地等に関して貸借がある場合の各評価額は、以下の算式によります。

⑴　貸宅地　　　　自用地としての価額×（１－借地権割合）
⑵　借地権　　　　自用地としての価額×借地権割合
⑶　貸家建付地　　自用地としての価額×（１－借地権割合×借家権割合）
⑸　貸家建付借地権　自用地としての価額×借地権割合×（１－借家権割合）
⑺　転貸借地権　　自用地としての価額×借地権割合×（１－借地権割合）

解答 問題6　使用貸借

宅地A　28,000,000円
宅地B　使用貸借による借り受けのため評価しない

解説

①　宅地Aは使用貸借により貸し付けられているため、自用地としての価額で評価します。
②　宅地Bは使用貸借により借り受けているため、使用貸借に係る権利の価額はゼロとして取扱います。

Memorandum Sheet

Chapter 8

小規模宅地等の特例Ⅰ

No	内　容	標準時間	1回目	2回目	3回目
問題1	小規模宅地等の特例①	10分	／	／	／
問題2	小規模宅地等の特例②	15分	／	／	／
問題3	小規模宅地等の特例③	15分	／	／	／
問題4	小規模宅地等の特例④	15分	／	／	／

➜ 解答・解説　8－6

問題1　小規模宅地等の特例①

基本　10分

次の各問の宅地等について小規模宅地等に該当する場合はその特例対象宅地等の種類及び減額割合を、該当しない場合は「なし」と答えなさい。なお、特に指示があるものを除き、各取得者は相続税の申告期限（以下「申告期限」という。）までその宅地等を所有しているものとし、相続開始前３以内に開始した事業（貸付事業を含む。）はないものとする。

⑴　被相続人甲の居住の用に供していた宅地等を同居していた長男Ａが取得し、申告期限まで居住を継続している場合

⑵　被相続人甲及び配偶者乙の居住の用に供していた宅地等を配偶者乙が取得し、申告期限までにその宅地等を売却した場合

⑶　被相続人甲の居住の用に供していた宅地等を同居していた長男Ａが取得し、申告期限までにその宅地等を賃貸借契約により第三者に貸し付けている場合

⑷　被相続人甲と生計を一にしていた父丙の居住の用に供されていた宅地等で被相続人甲から使用貸借契約により借り受けていたものを父丙が取得し、申告期限まで居住を継続している場合

⑸　被相続人甲の事業の用に供していた宅地等を長男Ａが取得し、申告期限までにその事業を承継し、継続している場合

⑹　被相続人甲の事業の用に供していた宅地等を配偶者乙が取得し、申告期限までにその事業を承継していない場合

⑺　被相続人甲と生計を別にしていた二男Ｂの事業の用に供されていた宅地等で被相続人甲から使用貸借契約により借り受けていたものを二男Ｂが取得し、申告期限まで事業を継続している場合

⑻　被相続人甲の不動産貸付業の用に供されていた宅地等を配偶者乙が取得し、申告期限までにその事業を承継し、継続している場合

⑼　被相続人甲がアスファルト舗装をして駐車場として貸し付けていた宅地等を長女Ｃが取得し、申告期限までにその事業を承継し、継続している場合

⑽　被相続人甲が青空駐車場として貸し付けていた宅地等を孫Ｘが取得し、申告期限までにその事業を承継し、継続している場合

⑾　被相続人甲が賃貸借契約により特定同族会社（製造業で被相続人甲と親族で発行済株式の75％を所有）に貸付けていた宅地等を役員である三男Ｅが取得し、申告期限まで特定同族会社の事業の用に供されている場合

⑿　被相続人甲が使用貸借契約により特定同族会社（卸売業で被相続人甲と親族で発行済株式の55％を所有）に貸付けていた宅地等を役員である母丁が取得し、申告期限まで特定同族会社の事業の用に供されている場合

⒀　被相続人甲が賃貸借契約により特定同族会社（不動産貸付業で被相続人甲と親族で発行済株式の90％を所有）に貸付けていた宅地等を役員である兄戊が取得し、申告期限まで特定同族会社の事業の用に供されている場合

⒁　被相続人甲が賃貸借契約により特定同族会社（小売業で被相続人甲と親族で発行済株式の50％を所有）に貸付けていた宅地等を役員である妹己が取得し、申告期限まで特定同族会社の事業の用に供されている場合

➜ 解答・解説 8－7

問題2 小規模宅地等の特例②

基本 15分

次の各設問における宅地等について、相続税の課税価格に算入される金額を計算しなさい。

宅地等（宅地の上に存する権利を含む。）は借地権割合60％、借家権割合30％の地域に所在しているものとし、宅地等の取得者は、相続税の申告期限まで所有し、かつ、相続開始前と同一の用途に供しているものとする。なお、宅地等の価額は自用地としての価額である。また、相続開始日は令和７年９月20日である。

（設問１）

⑴　配偶者乙が取得した財産

宅地Ｘ　350㎡　42,000千円

宅地Ｘの上には、被相続人甲及び配偶者乙の居住の用に供されていた家屋が建てられている。

⑵　長男Ａが取得した財産

宅地Ｙ　420㎡　63,000千円

宅地Ｙの上には、被相続人甲が平成31年４月から営んでいた飲食店が建てられている。

なお、被相続人甲の事業は、長男Ａが相続税の申告期限までに承継している。

（設問２）

⑴　配偶者乙が取得した財産

宅地Ｘ　300㎡　54,000千円

宅地Ｘの上には、被相続人甲、配偶者乙及び長女Ａの居住の用に供されていた家屋が建てられている。

⑵　長女Ａが取得した財産

宅地Ｙ　430㎡　64,500千円

宅地Ｙは、長女Ａが被相続人甲から使用貸借により借受けていたものであり、令和３年４月から長女Ａの営む店舗の敷地の用に供されている。

（設問３）

⑴　配偶者乙が取得した財産

宅地Ｘ　200㎡　75,000千円

宅地Ｘの上には、被相続人甲が別荘の用に供していた家屋が建てられている。

⑵　長男Ａが取得した財産

宅地Ｙ　300㎡　186,000千円

宅地Ｙは、被相続人甲が適正な賃貸借契約により同族会社（小売業、被相続人と親族で発行済株式の100％を保有している）に対して貸付けていたものであり、同社の営む店舗の敷地の用に供されている。

なお、長男Ａは同社の役員である。

⑶　長女Ｂが取得した財産

宅地Ｚ　150㎡　73,800千円

宅地Ｚは、長女Ｂが被相続人甲から使用貸借により借受けていたものであり、平成16年１月から長女Ｂの営む店舗の敷地の用に供されている。なお、長女Ｂは、被相続人甲から生活費の仕送りを受けていた。

➜ 答案用紙8／ 解答・解説 8－9

問題3 小規模宅地等の特例③

基本 15分

次の資料により、各相続人が被相続人甲から遺贈により取得した財産について、小規模宅地等の価額の合計額が最も少なくなるように課税価格に算入される金額を求めなさい。小規模宅地等の特例については、その計算欄に記入し、その特例の対象となる宅地については減額前の金額を記入すること。

【資　料】

被相続人甲は遺言書により各相続人に対して次のとおりに財産を遺贈している。

(注) 1　宅地は、すべて借地権割合50%、借家権割合30%の地域に所在している。

2　宅地の取得者は、その取得した宅地及び家屋について被相続人甲の相続税の申告期限においても所有し、かつ、相続開始前と同一の用途に供しているものとする。

3　貸付事業は、相続開始の５年前から開始しているものとする。

⑴　配偶者乙が取得した財産

①　宅地C　　固定資産税評価額　　18,000,000円　　倍率　　2.0　　地積　　250㎡

②　家屋D　　固定資産税評価額　　9,500,000円

この家屋は、宅地Cの上に建てられており、被相続人甲及び配偶者乙並びに長男Aの居住の用に供されていたものである。

⑵　長男Aが取得した財産

①　宅地E

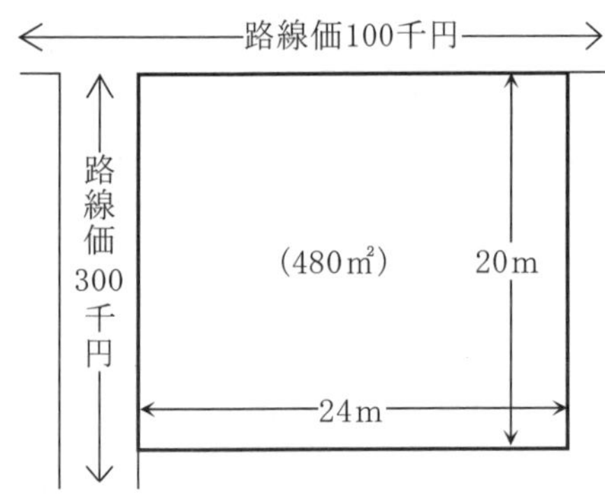

奥行価格補正率
- 10m以上24m未満　　1.00
- 24m以上28m未満　　0.97

側方路線影響加算率
- 角　地　　0.03
- 準角地　　0.02

②　家屋F　　固定資産税評価額　　18,500,000円

この家屋は、宅地Eの上に建てられており、株式会社X社(不動産貸付業ではない。)に対して適正な賃貸借契約により貸付けられていたものである。なお、X社は被相続人甲及び配偶者乙並びに長男Aがその発行済株式の80%を保有する会社であり、長男AはX社の役員である。

⑶　二男Bが取得した財産

①　宅地G　　固定資産税評価額　　12,000,000円　　倍率　　2.5　　地積　　100㎡

②　家屋H　　固定資産税評価額　　8,000,000円

この家屋は、宅地Gの上に建てられており、貸家として第三者に貸付けてられていたものである。なお、二男Bは相続税の申告期限までにこの貸付事業を承継している。

➜ 答案用紙9／ 解答・解説 8－10

問題4　小規模宅地等の特例④

基本　15分

次の資料により、各相続人が相続により取得した財産について、小規模宅地等の価額の合計額が最も少なくなるように課税価格に算入される金額を求めなさい。小規模宅地等の特例については、その計算欄に記入し、その特例の対象となる宅地については減額前の金額を記入すること。

【資　料】

被相続人甲の死亡により各相続人は遺産分割協議の結果、次のとおりに財産を相続している。

(注) 1　宅地及び宅地の上に存する権利(以下「宅地等」という。)は、すべて借地権割合60%、借家権割合30%の地域に所在している。

2　宅地等の取得者は、特に指示があるものを除き、その取得した宅地等について被相続人甲の相続税の申告期限において所有し、かつ、相続開始前と同一の用途に供しているものとする。

3　事業(貸付事業を含む。)は、相続開始の５年前から開始しているものとする。

⑴　配偶者乙が取得した財産

①　宅地C　　固定資産税評価額　　17,600,000円　　倍率　　1.5　　地積　　132㎡

②　家屋D　　固定資産税評価額　　5,500,000円

この家屋は、宅地Cの上に建てられており、被相続人甲及び配偶者乙の居住の用に供されていたものである。なお、配偶者乙は、相続税の申告期限において同家屋を第三者に貸付けている。

⑵　長男Aが取得した財産

①　借地権E

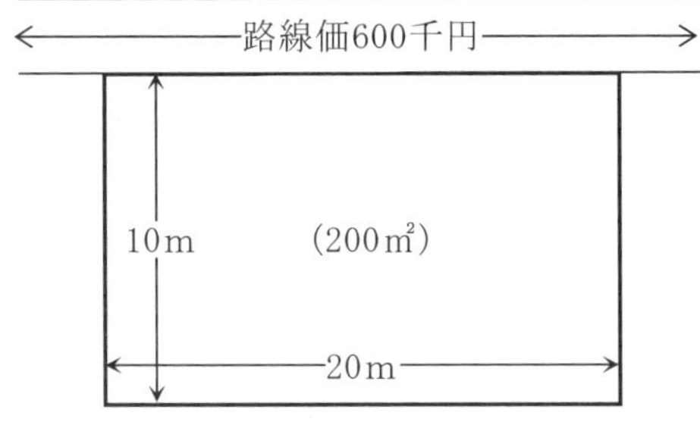

奥行価格補正率

10m以上24m未満　　1.00

②　家屋F　　固定資産税評価額　　25,000,000円

この家屋は、借地権Eの上に建てられており、被相続人甲が営んでいた事業の店舗として使用されていた。なお、長男Aは相続開始後すぐに同事業を承継している。

⑶　長女Bが取得した財産

①　宅 地 G　　固定資産税評価額　　6,000,000円　　倍率　　2.5　　地積　　100㎡

②　構築物H　　相続税評価額　　3,000,000円

この構築物は、宅地Gのアスファルト舗装であり、被相続人甲の営む月極駐車場業の用に供されていた。なお、長女Bは相続税の申告期限までにこの駐車場業を承継している。

解答　問題1　小規模宅地等の特例①

⑴	特定居住用宅地等　80%	⑵	特定居住用宅地等　80%
⑶	なし	⑷	特定居住用宅地等　80%
⑸	特定事業用宅地等　80%	⑹	なし
⑺	なし	⑻	貸付事業用宅地等　50%
⑼	貸付事業用宅地等　50%	⑽	なし
⑾	特定同族会社事業用宅地等　80%	⑿	なし
⒀	貸付事業用宅地等　50%	⒁	貸付事業用宅地等　50%

解説

⑴　被相続人甲と同居していた親族の長男Aが居住用宅地等を取得し、申告期限まで居住を継続していますので、特定居住用宅地等として80%減額の対象となります。

⑵　配偶者乙が被相続人甲の居住用宅地等を取得していますので、特定居住用宅地等として80%減額の対象となります。（居住・所有継続等の要件はなく、無条件で特定居住用宅地等に該当します。）

⑶　申告期限まで居住を継続していませんので、減額の適用はありません。

⑷　同一生計親族である父丙の居住の用に供されていた宅地等を父丙が取得し、申告期限まで居住を継続していますので、特定居住用宅地等として80%減額の対象となります。

⑸　被相続人甲の事業の用に供されていた宅地等を親族の長男Aが取得し、申告期限までにその事業を承継し、同期限まで継続していますので、特定事業用宅地等として80%減額の対象となります。

⑹　被相続人甲の事業を承継していませんので、減額の適用はありません。

⑺　生計別親族の事業の用に供されていますので、減額の適用はありません。

⑻　被相続人甲の貸付事業の用に供されていた宅地等を配偶者乙が取得し、申告期限までにその事業を承継し、同期限まで継続していますので、貸付事業用宅地等として50%減額の対象となります。

⑼　被相続人甲の貸付事業の用に供されていた宅地等を親族の長女Cが取得し、申告期限までにその事業を承継し、同期限まで継続していますので、貸付事業用宅地等として50%減額の対象となります。

⑽　青空駐車場の貸付けであるため、減額の適用はありません。

⑾　持株割合50%超、不動産貸付業以外の同族会社に対し被相続人甲が賃貸借契約により貸付けていた宅地等を同社役員である親族の三男Eが取得し、申告期限まで同社の事業を継続していますので、特定同族会社事業用宅地等として80%減額の対象となります。

⑿　無償による貸付けは、被相続人甲の事業用宅地等に該当しませんので、減額の適用はありません。

⒀　法人の事業が不動産貸付業であるため、貸付事業用宅地等（50%減額）となります。

⒁　被相続人甲とその親族で発行済株式の50%を超える株式を有していないため、貸付事業用宅地等となります。

解 答　問題2　小規模宅地等の特例②

（設問１）　（単位：千円）

⑴　宅地Ｘ（特定居住用宅地等）　42,000－(注)96×330㎡＝10,320

⑵　宅地Ｙ（特定事業用宅地等）　63,000－(注)120×400㎡＝15,000

（注）　小規模宅地等の特例

⑴　減額単価

乙　㊢　$\frac{42,000}{350㎡}$×80%＝96

Ａ　㊮　$\frac{63,000}{420㎡}$×80%＝120

⑵　有利選択

乙取得の特定居住用宅地等※1 330㎡及びＡ取得の特定事業用宅地等※2 400㎡を選択

※１　350㎡ ＞ 330㎡　∴　330㎡

※２　420㎡ ＞ 400㎡　∴　400㎡

（設問２）

⑴　宅地Ｘ（特定居住用宅地等）　54,000－(注)144×300㎡＝10,800

⑵　宅地Ｙ（特定事業用宅地等）　64,500－(注)120×400㎡＝16,500

（注）　小規模宅地等の特例

⑴　減額単価

乙　㊢　$\frac{54,000}{300㎡}$×80%＝144

Ａ　㊮　$\frac{64,500}{430㎡}$×80%＝120

⑵　有利選択

乙取得の特定居住用宅地等300㎡及びＡ取得の特定事業用宅地等※400㎡を選択

※　430㎡ ＞ 400㎡　∴　400㎡

（設問３）

⑴　宅地Ｘ　75,000

⑵　宅地Ｙ（特定同族会社事業用宅地等）　186,000×（１－0.6）＝74,400

74,400－(注)198.4×250㎡＝24,800

⑶　宅地Ｚ（特定事業用宅地等）　73,800－(注)393.6×150㎡＝14,760

（注）　小規模宅地等の特例

⑴　減額単価

Ａ　㊀同　$\frac{74,400}{300㎡}$×80%＝198.4 → ２順位

Ｂ　㊮　$\frac{73,800}{150㎡}$×80%＝393.6 → １順位

⑵　有利選択

Ｂ取得の特定事業用宅地等150㎡及びＡ取得の特定同族会社事業用宅地等※250㎡を選択

※　300 ㎡ ＞ 400 ㎡－150 ㎡＝250 ㎡　∴　250 ㎡

解説

（設問１）

特例対象宅地等が特定居住用宅地等及び特定事業用宅地等である場合の限度面積は、各々330㎡及び400㎡であり、完全併用が可能です。

（設問２）

宅地Ｙは、同一生計親族である長女Ａ（宅地Ｘの資料により被相続人甲と同居していることから長女Ａが同一生計親族と読み取れます。）の事業用宅地等であることから、特定事業用宅地等に該当します。

（設問３）

被相続人甲の別荘の敷地の用に供されていた宅地は、特定居住用宅地等には該当しません。また、特例対象宅地等が特定事業用宅地等及び特定同族会社事業用宅地等である場合の限度面積は、これらの面積を合計して400㎡です。したがって、特定事業用宅地等と特定同族会社事業用宅地等の減額単価を比較すると、特定事業用宅地等の方が高くなるため、特定事業用宅地等から先に150㎡選択して、限度面積に達しない残りの部分250㎡については特定同族会社事業用宅地等から選択する方が納税者有利となります。

解答　問題3　小規模宅地等の特例③

遺贈財産価額の計算			（単位：千円）
財産の種類	取得者	計　算　過　程	金　額
宅地　C	配偶者乙	18,000×2.0＝36,000	36,000
家屋　D	配偶者乙	9,500×1.0＝9,500	9,500
宅地　E	長男　A	300×0.97＋100×1.00×0.03＝294	119,952
		294×480㎡×（1－0.5×0.3）＝119,952	
家屋　F	長男　A	18,500×1.0×（1－0.3）＝12,950	12,950
宅地　G	二男　B	12,000×2.5＝30,000	25,500
		30,000×（1－0.5×0.3）＝25,500	
家屋　H	二男　B	8,000×1.0×（1－0.3）＝5,600	5,600

小規模宅地等の特例の計算　（単位：千円）

計　算　過　程

(1)　減額単価

宅地C㊢（乙）　$\frac{36,000}{250㎡}\times 80\% = 115.2$　$\left(115.2\times\frac{330}{200}=190.08\right)$　→　2順位

宅地E㊞（A）　$\frac{119,952}{480㎡}\times 80\% = 199.92$　$\left(199.92\times\frac{400}{200}=399.84\right)$　→　1順位

宅地G㊎（B）　$\frac{25,500}{100㎡}\times 50\% = 127.5$　→　3順位

(2)　有利選択

A取得の特定同族会社事業用宅地等から※400㎡、乙取得の特定居住用宅地等から250㎡を選択（完全併用）

※　480㎡ ＞ 400㎡　　∴　400㎡

(3)　減額計算

宅地C　115,200円×250㎡＝28,800

宅地E　199,920円×400㎡＝79,968

特例適用対象財産	取得者	減額金額
宅地C	配偶者乙	28,800
宅地E	長男　A	79,968

解説

減額単価の大小比較により特定事業用宅地等及び特定居住用宅地等の減額単価の方が、貸付事業用宅地等の減額単価よりも大きい場合には、完全併用有利と判断できます。

解答　問題4　小規模宅地等の特例④

相続財産価額の計算			(単位：千円)
財産の種類	取得者	計算過程	金額
宅　地　C	配偶者乙	17,600×1.5＝26,400	26,400
家　屋　D	配偶者乙	5,500×1.0＝5,500	5,500
借地権　E	長　男　A	600×1.00×200㎡＝120,000 120,000×0.6＝72,000	72,000
家　屋　F	長　男　A	25,000×1.0＝25,000	25,000
宅　地　G	長　女　B	6,000×2.5＝15,000	15,000
構築物　H	長　女　B		3,000

小規模宅地等の特例の計算　(単位：千円)

計算過程

⑴　減額単価

宅　地C㊫(乙)　$\frac{26,400}{132㎡}$×80%＝160　→　２順位

借地権E㊮(A)　$\frac{72,000}{200㎡}$×80%＝288　→　１順位

宅　地G(貸)(B)　$\frac{15,000}{100㎡}$×50%＝75　→　３順位

⑵　有利選択

Ａ取得の特定事業用宅地等から200㎡、乙取得の特定居住用宅地等から132㎡、

Ｂ取得の貸付事業用宅地等から※20㎡を選択(限度内併用)

※　200㎡−200㎡×$\frac{200}{400}$−132㎡×$\frac{200}{330}$＝20㎡ ＜ 100㎡　∴　20㎡

⑶　減額計算

宅　地C　160×132㎡＝21,120

借地権E　288×200㎡＝57,600

宅　地G　75×20㎡＝1,500

特例適用対象財産	取得者	減額金額
宅　地C	配偶者乙	21,120
借地権E	長　男　A	57,600
宅　地G	長　女　B	1,500

解説

減額単価の大小比較により特定事業用等宅地等及び特定居住用宅地等の減額単価の方が、貸付事業用宅地等の減額単価よりも大きい場合には完全併用有利と判断できますが、完全併用の合計地積が次の枠内の算式により200㎡未満の場合には、貸付事業用宅地等からも200㎡に達するまでの残りの地積について減額することができますので、最終的には限度内併用の方が有利となります。

貸付事業用等宅地等の面積(200㎡) −［特定事業用等宅地等の面積の合計×$\frac{200}{400}$＋特定居住用宅地等の面積の合計×$\frac{200}{330}$ ＜ 200㎡］＝残りの選択地積

Chapter 9

上場株式等の評価

No	内　容	標準時間	1回目	2回目	3回目
問題1	上場株式①	4分	／	／	／
問題2	上場株式②	6分	／	／	／
問題3	株式に関する権利	12分	／	／	／

➜ 解答・解説　9－6

問題１　上場株式①

次の各設問における株式の相続税評価額を計算しなさい。

（設問１）

甲社株式　　22,000株

この株式は東京証券取引所に上場されている株式であり、株価の状況は次のとおりである。

⑴　課税時期(11月16日)前後の最終価格

11月14日	855円	11月15日	休日
11月16日	休日	11月17日	890円

⑵	11月の毎日の最終価格の月平均額	875円
⑶	10月の毎日の最終価格の月平均額	856円
⑷	９月の毎日の最終価格の月平均額	864円
⑸	８月の毎日の最終価格の月平均額	838円

（設問２）

乙社株式　　70,000株

この株式は東京証券取引所及び名古屋証券取引所に重複して上場されている株式であり、株価の状況は次のとおりである。

		（東　証）	（名　証）
⑴	課税時期(11月28日)の最終価格	874円	884円
⑵	12月の毎日の最終価格の月平均額	804円	810円
⑶	11月の毎日の最終価格の月平均額	838円	842円
⑷	10月の毎日の最終価格の月平均額	852円	847円
⑸	９月の毎日の最終価格の月平均額	810円	809円

➜ 解答・解説 9－6

問題2 上場株式② 基本 6分

次の各設問における株式の相続税評価額を計算しなさい。

なお、それぞれの株式は、金融商品取引所に上場されている株式である。

（設問１）

Ｘ社株式　17,000株

⑴ 課税時期（４月６日）前後の最終価格

４月２日	860円	４月３日	745円	４月４日	750円
４月５日	休日	４月６日	休日	４月７日	770円

⑵ ４月３日から同年４月30日までの毎日の最終価格の平均額　777円

⑶ ４月１日から同年４月２日までの毎日の最終価格の平均額　878円

⑷ ４月の毎日の最終価格の月平均額　817円

⑸ ３月の毎日の最終価格の月平均額　858円

⑹ ２月の毎日の最終価格の月平均額　888円

⑺ １月の毎日の最終価格の月平均額　852円

⑻ 株式の割当基準日　４月７日

⑼ 権利落の日　４月３日

⑽ 株式の割当数　１株につき0.3株

⑾ 払込金額　株式１株につき50円

（設問２）

Ｙ社株式　1,500株

⑴ 課税時期（８月１日）前後の最終価格

７月28日	35,750円	７月29日	29,800円	７月30日	28,970円
７月31日	29,740円	８月１日	休日	８月２日	休日

⑵ ８月の毎日の最終価格の月平均額　30,025円

⑶ ７月29日から同年７月31日までの毎日の最終価格の平均額　29,503円

⑷ ７月１日から同年７月28日までの毎日の最終価格の平均額　36,440円

⑸ ７月の毎日の最終価格の月平均額　35,163円

⑹ ６月の毎日の最終価格の月平均額　35,280円

⑺ ５月の毎日の最終価格の月平均額　35,999円

⑻ 株式の割当基準日　８月１日

⑼ 権利落の日　７月29日

⑽ 株式の割当数　１株につき0.2株

⑾ 払込金額　株式１株につき5,000円

➜ 解答・解説 9－7

問題3 株式に関する権利　基本　12分

次の各設問における株式の相続税評価額を計算しなさい。なお、それぞれの株式は、金融商品取引所に上場されている株式である。また、源泉徴収される税額を計算する必要がある場合の率は20.315%とし、株式を取得した者は株式に関する権利が発生している場合には、その権利もあわせて取得しているものとする。

（設問１）

Ａ株式　18,000株

⑴ 課税時期（４月５日）の最終価格　707円
⑵ ４月の毎日の最終価格の月平均額　701円
⑶ ３月29日から同年３月31日までの毎日の最終価格の平均額　696円
⑷ ３月１日から同年３月28日までの毎日の最終価格の平均額　1,001円
⑸ ３月の毎日の最終価格の月平均額　918円
⑹ ２月の毎日の最終価格の月平均額　932円
⑺ 増資に関する資料

株式の割当基準日	３月31日
権利落の日	３月29日
株式の割当日	５月15日
株式の割当数	１株につき0.4株
払込金額	株式１株につき50円

（設問２）

Ｂ株式　500株

⑴ 課税時期（７月１日）以前の最終価格

６月26日	取引なし	６月27日	104,800円	６月28日	74,800円
６月29日	75,000円	６月30日	74,600円	７月１日	74,500円

⑵ ７月の毎日の最終価格の月平均額　72,578円
⑶ ６月の毎日の最終価格の月平均額　71,036円
⑷ ５月の毎日の最終価格の月平均額　105,555円
⑸ ５月１日から同年５月27日までの毎日の最終価格の平均額　104,990円
⑹ ５月28日から同年５月31日までの毎日の最終価格の平均額　74,800円
⑺ 増資に関する資料

株式の割当基準日	５月30日
権利落の日	５月28日
株式の割当数	１株につき0.5株
株式の割当日	６月20日
株式の払込期日	７月20日
払込金額	株式１株につき2,000円

なお、株式の払込みは６月25日に済ませている。

（設問３）

Ｃ株式　　25,000株

⑴	課税時期（４月12日）の最終価格	1,152円
⑵	４月の毎日の最終価格の月平均額	1,169円
⑶	３月29日から同年３月31日までの毎日の最終価格の平均額	1,086円
⑷	３月１日から同年３月28日までの毎日の最終価格の平均額	1,245円
⑸	３月の毎日の最終価格の月平均額	1,117円
⑹	２月の毎日の最終価格の月平均額	1,201円

⑺　配当に関する資料

配当金交付の基準日	３月31日
配当落ちの日	３月29日
配当金の支払い確定日	４月25日
配当金額	株式１株につき40円

（設問４）

Ｄ株式　　5,500株

⑴	課税時期（11月１日）の最終価格	8,280円
⑵	10月29日の最終価格	10,750円
⑶	11月の毎日の最終価格の月平均額	8,995円
⑷	10月の毎日の最終価格の月平均額	9,889円
⑸	10月30日、31日の最終価格の平均額	8,355円
⑹	10月１日から同年10月29日までの毎日の最終価格の平均額	10,970円
⑺	９月の毎日の最終価格の月平均額	11,509円

⑻　増資に関する資料

株式の割当基準日	11月１日
権利落の日	10月30日
株式の割当数	１株につき0.2株
株式の割当日	12月20日
払込金額	株式１株につき500円

解 答　問題1　上場株式①

（設問１）　　（単位：円）

甲社株式

890、875、856、864　∴　856

856×22,000株＝18,832,000

（設問２）

乙社株式

東　証　　874、838、852、810　∴　810

名　証　　884、842、847、809　∴　809

810＞809　∴　809×70,000株＝56,630,000

解 説

（設問１）課税時期に最終価格がない場合には、課税時期前後の最終価格のうち課税時期に最も近い日の最終価格を課税時期の最終価格とします。

（設問２）東証の最低額と名証の最低額とを比較する算式を計算過程に記述して下さい。

解 答　問題2　上場株式②

（設問１）　　（単位：円）

X社株式

860、878、858、888　∴　858

858×17,000株＝14,586,000

（設問２）

Y社株式

① 35,750

② 30,025×（１＋0.2）－5,000×0.2＝35,030

③ 36,440

④ 35,280

∴　35,030

35,030×1,500株＝52,545,000

解 説

（設問１）課税時期が基準日以前にあるため権利含の評価となります。したがって、権利落の日の前日以前の最終価格のうち課税時期に最も近い日の最終価格をもって課税時期の最終価格とします。また、権利含だけの最終価格の平均額を課税時期の属する月の月平均額とみなします。

（設問２）課税時期の属する月の最終価格の月平均額は、８月の毎日の最終価格の月平均額(権利落の月平均額)を下記の算式を使って権利含に修正します。

課税時期の属する月の最終価格の月平均額 ×（１＋割当数）－払込金額×割当数

解答　問題3　株式に関する権利

（設問１）　（単位：円）

⑴　Ａ株式

707、701、696、$\dfrac{932+50\times 0.4}{1+0.4}=680$　∴　680

680×18,000株＝12,240,000

⑵　株式の割当てを受ける権利

(680－50)×18,000株×0.4＝4,536,000

（設問２）

⑴　Ｂ株式

74,500、72,578、71,036、74,800　∴　71,036

71,036×500株＝35,518,000

⑵　株主となる権利

71,036×500株×0.5＝17,759,000

（設問３）

⑴　Ｃ株式

1,152、1,169、1,117、1,201　∴　1,117

1,117×25,000株＝27,925,000

⑵　配当期待権

(40－※8.12)×25,000株＝797,000

※　40×20.315％＝8.12(銭未満切捨)

（設問４）

Ｄ株式

①　10,750
②　8,995×（１＋0.2）－500×0.2＝10,694
③　10,970
④　11,509

∴　10,694

10,694×5,500株＝58,817,000

解説

（設問１）

〔権利含の月平均額を落ちの月平均額に修正する算式〕

➜ Ａ株式は２月の月平均額

$$\text{算式：}\frac{\text{その月の最終価格の月平均額＋払込金額×割当数}}{\text{１＋割当数}}$$

また、株式の割当てを受ける権利の評価も合わせて行いますので評価漏れに注意してください。

（設問２）

株主となる権利の評価も合わせて行いますので評価漏れに注意してください。

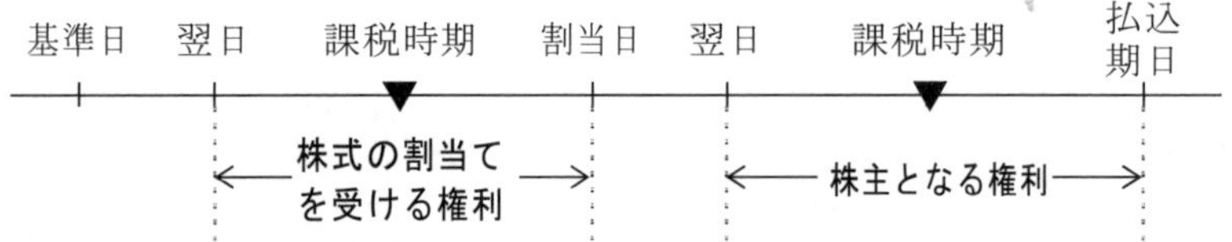

（設問３）

配当落があった場合の月平均額の計算は、その評価の対象となる株式の価額が配当含か配当落かにかかわらず、すべてその月の初日から末日までの毎日の最終価格の平均額によります。

➜ １か月間の平均額しか採用しません。

また、配当期待権の評価も合わせて行いますので評価漏れに注意してください。

（設問４）

〔権利落の月平均額を権利含みの月平均額に修正する算式〕

➜ 11月の月平均額

算式：課税時期の属する月の最終価格の月平均額 ×（１＋割当数）－払込金額×割当数

なお、上記算式に替えて、下記の分数式により権利含みの月平均額を求める方法でも構いません。

$$\text{算式：}\frac{\boxed{\text{権利含みの月平均額}}\text{＋払込金額×割当数}}{\text{１＋割当数}}\text{＝権利落の月平均額}$$

Chapter 10

非上場株式の評価Ⅰ

No	内　容	標準時間	1回目	2回目	3回目
問題１	評価方式の判定	20分	／	／	／
問題２	原則的評価方式	６分	／	／	／
問題３	配当還元方式	６分	／	／	／
問題４	類似業種比準価額	10分	／	／	／
問題５	業種目の判定	15分	／	／	／
問題６	純資産価額①	６分	／	／	／
問題７	純資産価額②	５分	／	／	／
問題８	配当還元価額	５分	／	／	／

→ 解答・解説　10−12

問題1　評価方式の判定

基本　20分

次の各設問の資料により、原則的評価方式により評価する株主と、配当還元方式により評価する株主の判定を行いなさい。なお、保有株式数は、被相続人甲から相続又は遺贈により非上場株式を取得した後の数であり、議決権に制限のあるものは含まれていないものとする。

（設問1）

1　被相続人甲の相続人の状況は次のとおりである。

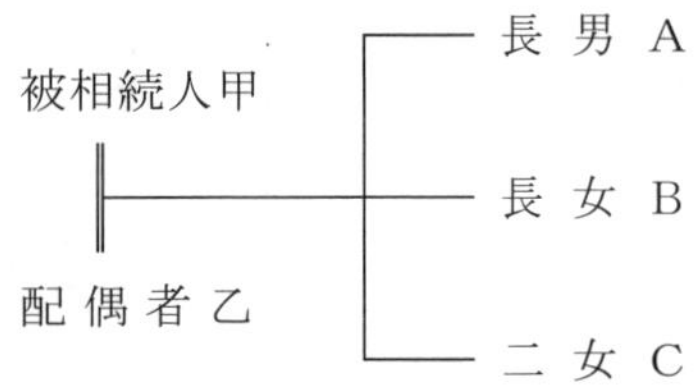

2　非上場株式取得後の状況は、次のとおりである。

株　　主	保有株式数	議決権数
配偶者乙	25,000株	25個
長 男 A	25,000株	25個
長 女 B	10,000株	10個
二 女 C	5,000株	5個
他 人 丙	20,000株	20個
他 人 丁	15,000株	15個
	(100,000株)	(100個)

（設問2）

1　被相続人甲の相続人の状況は次のとおりである。

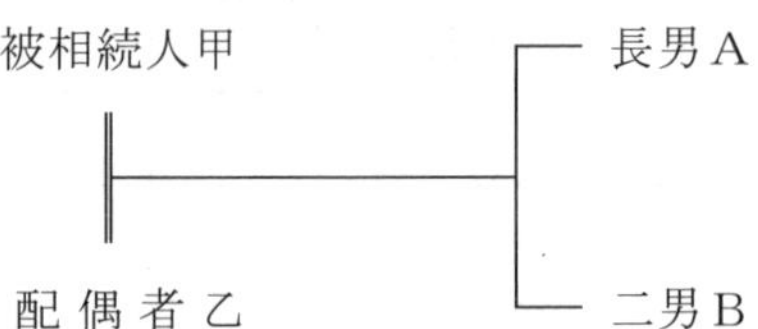

2　非上場株式取得後の状況は、次のとおりである。

なお、二男Bは相続税の申告期限までに発行会社の役員に就任している。

株　　主	保有株式数	議決権数
配偶者乙	25,000株	25個
長 男 A	20,000株	20個
二 男 B（役員）	3,000株	3個
友 人 丙（役員）	47,000株	47個
その他少数株主	5,000株	5個
	(100,000株)	(100個)

（設問３）

1　被相続人甲の相続人等の状況は次のとおりである。

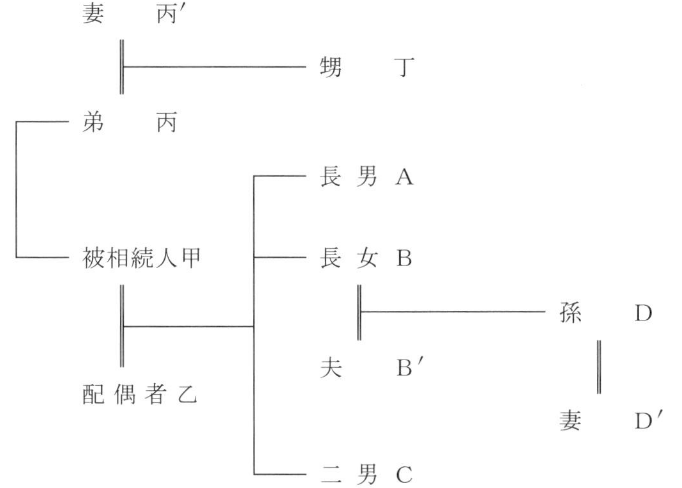

2　非上場株式取得後の状況は、次のとおりである。

株　　　　主	保有株式数	議決権数
配偶者乙	15,000株	15個
長男 A	12,000株	12個
長女 B	12,000株	12個
夫　B′	3,000株	3個
二男 C	10,000株	10個
孫　D	9,000株	9個
妻　D′	3,000株	3個
弟　丙	12,000株	12個
甥　丁	5,000株	5個
その他少数株主	39,000株	39個
	(120,000株)	(120個)

（設問４）

1　被相続人甲の相続人等の状況は次のとおりである。

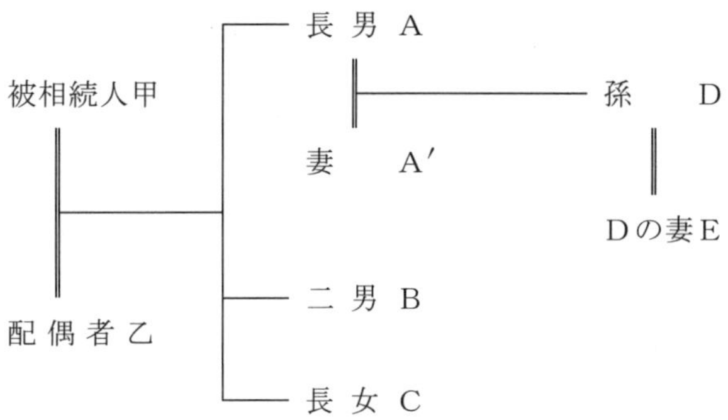

2　非上場株式取得後の状況は、次のとおりである。

株　　　主	保有株式数	議決権数
配偶者乙	20,000株	20個
長男 A	18,000株	18個
妻 A′	8,000株	8個
二男 B	15,000株	15個
長女 C	10,000株	10個
孫 D	10,000株	10個
Dの妻E	5,000株	5個
丙（甲の友人）	50,000株	50個
その他少数株主	64,000株	64個
	(200,000株)	(200個)

➜ 解答・解説 10−16

問題２ 原則的評価方式　基本　6分

次の各設問における非上場株式の原則的評価方式による価額を計算しなさい。

（設問１）

Ａ会社（大会社）の株式	100,000株
① 株式取得者の議決権割合	60%
② 類似業種比準価額	850円
③ 純資産価額	1,050円

（設問２）

Ｂ会社（大会社）の株式	120,000株
① 株式取得者の議決権割合	45%
② 類似業種比準価額	800円
③ 純資産価額	960円

（設問３）

Ｃ会社（中会社）の株式	88,000株	
① 株式取得者の議決権割合	44%	
② 類似業種比準価額	1,230円	
③ 純資産価額	1,350円	
④ Ｌの割合		
評価会社の総資産価額(帳簿価額)及び従業員数に応ずる割合		0.60
直前期末以前１年間における取引金額に応ずる割合		0.75

（設問４）

Ｄ会社（小会社）の株式	17,500株
① 株式取得者の議決権割合	35%
② 類似業種比準価額	5,500円
③ 純資産価額	4,560円

➜ 解答・解説　10−18

問題3　配当還元方式　基本　6分

次の各設問における非上場株式の配当還元方式による価額を計算しなさい。なお、株式取得者及びその同族関係者グループの議決権割合はいずれも50%以下である。

（設問１）

Ａ会社（大会社）の株式	25,000株
①　配当還元価額	250円
②　純資産価額	1,010円
③　類似業種比準価額	1,110円

（設問２）

Ｂ会社（中会社）の株式	30,000株
①　類似業種比準価額	950円
②　純資産価額	1,020円
③　Ｌの割合	0.60
④　配当還元価額	750円

（設問３）

Ｃ会社（小会社）の株式	1,400株
①　配当還元価額	5,000円
②　純資産価額	11,540円
③　類似業種比準価額	12,470円

問題4　類似業種比準価額

重要　基本　10分

次の各設問の資料により、類似業種比準価額を求めなさい。

なお、要素別比準割合及び比準割合は、それぞれ小数点以下２位未満を切り捨てて計算するものとする。

（設問１）

⑴　課税時期　　令和７年４月23日

⑵　評価会社　　大会社（資本金等の額500,000,000円、発行済株式の総数1,000,000株）

⑶　類似業種の株価等

①　株　　価　　令和７年４月　785円　令和７年３月　777円　令和７年２月　762円
　　前年平均　735円　令和７年４月以前２年間の平均　752円

②　１株当たりの配当金額　3.8円

③　１株当たりの利益金額　46円

④　１株当たりの純資産価額（帳簿価額）　265円

⑷　評価会社の比準要素の金額の計算の基となる金額

①　直前期末における剰余金の配当金額　35,000,000円

②　直前々期末における剰余金の配当金額　33,000,000円

③　直前期末以前１年間における年間の利益金額　425,000,000円

④　直前々期末以前１年間における年間の利益金額　417,000,000円

⑤　直前期末における純資産価額（帳簿価額）　1,823,000,000円

（設問２）

⑴　課税時期　　令和７年４月２日

⑵　評価会社　　小会社（資本金等の額100,000,000円、発行済株式の総数100,000株）

⑶　類似業種の株価等

①　株　　価　　令和７年４月　255円　令和７年３月　247円　令和７年２月　242円
　　前年平均　238円　令和７年４月以前２年間の平均　235円

②　１株当たりの配当金額　1.8円

③　１株当たりの利益金額　26円

④　１株当たりの純資産価額（帳簿価額）　215円

⑷　評価会社の比準要素の金額の計算の基となる金額

①　直前期末における剰余金の配当金額　4,800,000円

②　直前々期末における剰余金の配当金額　6,000,000円
　　（うち剰余金の特別配当による金額）　（1,000,000円）

③　直前期末以前１年間における年間の利益金額　75,000,000円

④　直前々期末以前１年間における年間の利益金額　81,000,000円
　　（うち保険差益による金額）　（10,000,000円）

⑤　直前期末における純資産価額（帳簿価額）　485,000,000円

➜ 答案用紙10 ➜ 解答・解説 10−21

問題5 業種目の判定 

《類似業種比準価額計算上の業種目及び業種目別株価等（令和７年分）》の資料に基づき、次の各設問について答えなさい。

配偶者乙は、令和７年４月23日に死亡した被相続人甲から相続によりＸ社株式（非上場株式）55,000株を取得している。Ｘ社株式の評価に必要な資料は次のとおりである。配偶者乙の原則的評価方式による相続税の課税価格に算入すべき価額を計算しなさい。

⑴　Ｘ社の直前期末の資本金等の額は50,000,000円、発行済株式の総数は100,000株（議決権は100株につき１個であり、議決権に制限を受けるものは含まれていない。）である。

⑵　Ｘ社は、食料・飲料卸売業を営む会社で、その株式は非上場株式であり、評価上の区分は中会社に該当し、Ｌの割合は0.60である。

⑶　Ｘ社の比準要素の金額の計算の基となる金額

①	直前期末における剰余金の配当金額	3,000,000円
②	直前々期末における剰余金の配当金額	2,800,000円
③	直前期末以前１年間における年間の利益金額	29,000,000円
④	直前々期末以前１年間における年間の利益金額	26,000,000円
⑤	直前期末における純資産価額（帳簿価額）	252,000,000円

⑷　Ｘ社株式の評価額の計算の基礎となる１株当たりの純資産価額（相続税評価額によって計算した金額）は3,096円である。

《類似業種比準価額計算上の業種目及び業種目別株価等（令和７年分）》

（単位：円）

業種目 大分類 　中分類 　　小分類	B 配当金額	C 利益金額	D 簿価純資産価額	A（株価） 令和７年4月以前2年平均	A（株価） 前年平均	A（株価） 令和７年2月分	A（株価） 令和７年3月分	A（株価） 令和７年4月分
卸売業	3.8	20	218	149	141	146	156	162
飲食料品卸売業	3.1	19	232	156	140	144	151	158
農畜産物・水産物卸売業	2.2	10	184	97	93	90	93	99
食料・飲料卸売業	4.0	31	294	212	193	203	211	218

（上記の数値は仮数値）

➜ 解答・解説 10−23

問題6 純資産価額① 重要 基本 6分

次の各設問の資料により、１株当たりの純資産価額を求めなさい。

なお、評価差額に対する法人税額等に相当する金額を計算する場合の率は、37%とする。

（設問１）

⑴ 評価会社（大会社）の課税時期における発行済株式の総数　300,000 株

⑵ 株式取得者及び同族関係者の議決権割合 30%

⑶ 評価会社の課税時期における資産及び負債の状況

	帳 簿 価 額	相 続 税 評 価 額
資　産	2,580,000千円	3,820,000千円
負　債	1,150,000千円	1,150,000千円

（設問２）

⑴ 評価会社（小会社）の課税時期における発行済株式の総数　20,000 株

⑵ 株式取得者及び同族関係者の議決権割合 45%

⑶ 評価会社の課税時期における資産及び負債の状況

	帳 簿 価 額	相 続 税 評 価 額
資　産	382,755千円	628,564千円
負　債	215,823千円	215,823千円

➜ 答案用紙11　➜ 解答・解説　10−24

問題7　純資産価額②

応用　5分

次の資料により、各人の相続税の課税価格に算入される金額を計算しなさい。
なお、評価差額に対する法人税額等に相当する金額を計算する場合の率は、37%とする。

配偶者乙は、被相続人甲の死亡によりＸ社（非上場株式で「小会社」に該当）株式80,000株を相続により取得した。この株式の取得により、配偶者乙及び同族関係者の議決権割合は35%となり、配偶者乙は中心的な同族株主に該当する。

Ｘ社株式の評価に必要な資料は次のとおりである。

⑴　Ｘ社の資本金等の額は50,000千円であり、発行済株式総数は1,000,000株（すべて普通株式であり、議決権は1,000株を１個とする。）である。

⑵　課税時期におけるＸ社の類似業種比準価額は、148円である。

⑶　課税時期におけるＸ社の資産及び負債の状況は、次のとおりである。

区　　分	資産の合計	負債の合計
相続税評価額	378,000千円(注1)	107,000千円(注2)
帳　簿　価　額	233,000千円	107,000千円(注2)

（注１）　資産の合計のうち50,000千円は課税時期前３年以内に取得した土地であり、この土地の課税時期における通常の取引価額は58,000千円である。

（注２）　負債の合計には、次の退職手当金等の額が計上されていない。
Ｘ社は、被相続人甲の死亡により、以下の退職金及び弔慰金を配偶者乙に支給している。
なお、被相続人甲の相続開始直前における月額給与は500千円であり、被相続人甲の死亡は業務上の死亡には該当しない。

①　退職金　10,000千円

②　弔慰金　 5,000千円

➜ 解答・解説 10−25

問題8 配当還元価額

重要 基本 5分

次の各設問における非上場株式の1株当たりの配当還元価額を計算しなさい。

（設問1）

⑴ 直前期末の資本金等の額 30,000,000円

⑵ 直前期末の発行済株式の総数 600,000株

⑶ 直前期末以前2年間の配当金額

① 直前期における年配当金額 4,200,000円

② 直前々期における年配当金額 4,500,000円

（設問2）

⑴ 直前期末の資本金等の額 100,000,000円

⑵ 直前期末の発行済株式の総数 200,000株

⑶ 直前期末以前2年間の配当金額

① 直前期における年配当金額 27,500,000円

② 直前々期における年配当金額 30,000,000円（うち記念配当4,000,000円を含む。）

（設問3）

⑴ 直前期末の資本金等の額 50,000,000円

⑵ 直前期末の発行済株式の総数 1,000,000株

⑶ 直前期末以前2年間の配当金額

① 直前期における年配当金額 2,200,000円

② 直前々期における年配当金額 1,700,000円

解答　問題1　評価方式の判定

（設問１）

⑴　同族株主の判定

①　乙グループ　$\frac{\text{乙25個＋Ａ25個＋Ｂ10個＋Ｃ５個}}{\text{100個}}$＝ 65% ＞ 50%　　∴　同族株主

②　丙グループ　$\frac{\text{丙20個}}{\text{100個}}$＝20% ≦ 50%　　∴　同族株主以外

③　丁グループ　$\frac{\text{丁15個}}{\text{100個}}$＝15% ≦ 50%　　∴　同族株主以外

⑵　各納税義務者の評価方式の判定

①　乙グループ

乙　$\frac{\text{25個}}{\text{100個}}$＝25% ≧ ５%　　∴　原則的評価方式

Ａ　$\frac{\text{25個}}{\text{100個}}$＝25% ≧ ５%　　∴　原則的評価方式

Ｂ　$\frac{\text{10個}}{\text{100個}}$＝10% ≧ ５%　　∴　原則的評価方式

Ｃ　$\frac{\text{５個}}{\text{100個}}$＝５% ≧ ５%　　∴　原則的評価方式

②　丙グループ

丙　同族株主以外のため配当還元方式

③　丁グループ

丁　同族株主以外のため配当還元方式

（設問２）

⑴　同族株主の判定

①　乙グループ　$\frac{\text{乙25個＋Ａ20個＋Ｂ３個}}{\text{100個}}$＝48% ≧ 30%　　∴　同族株主

②　丙グループ　$\frac{\text{丙47個}}{\text{100個}}$＝47% ≧ 30%　　∴　同族株主

⑵　各納税義務者の評価方式の判定

①　乙グループ

乙　$\frac{\text{25個}}{\text{100個}}$＝25% ≧ ５%　　∴　原則的評価方式

Ａ　$\frac{\text{20個}}{\text{100個}}$＝20% ≧ ５%　　∴　原則的評価方式

Ｂ　$\frac{\text{３個}}{\text{100個}}$＝３% ＜ ５%、役員　　∴　原則的評価方式

②　丙グループ

丙　$\frac{\text{47個}}{\text{100個}}$＝47% ≧ ５%　　∴　原則的評価方式

（設問３）

⑴　同族株主の判定

乙グループ

$$\frac{\text{乙15個＋A12個＋B12個＋B}'\text{３個＋C10個＋D９個＋D}'\text{３個＋丙12個＋丁５個}}{\text{120個}}=67.5\% > 50\%$$

∴　同族株主

⑵　各納税義務者の評価方式の判定

乙グループ

乙　$\frac{15個}{120個}=12.5\% \geqq 5\%$　　∴　原則的評価方式

A　$\frac{12個}{120個}=10\% \geqq 5\%$　　∴　原則的評価方式

B　$\frac{12個}{120個}=10\% \geqq 5\%$　　∴　原則的評価方式

B′　$\frac{３個}{120個}=2.5\% < 5\%$、役員でない

B′を中心に判定

$$\frac{\text{B}'\text{３個＋B12個＋D９個＋D}'\text{３個＋乙15個}}{\text{120個}}=35\% \geqq 25\%$$

∴　中心的な同族株主に該当するため原則的評価方式

C　$\frac{10個}{120個}=8.33\cdots\% \geqq 5\%$　　∴　原則的評価方式

D　$\frac{９個}{120個}=7.5\% \geqq 5\%$　　∴　原則的評価方式

D′　$\frac{３個}{120個}=2.5\% < 5\%$、役員でない

D′を中心に判定

$$\frac{\text{D}'\text{３個＋D９個＋B12個＋B}'\text{３個}}{\text{120個}}=22.5\%<25\%$$

∴　他に中心的な同族株主（B′）がいるため配当還元方式

丙　$\frac{12個}{120個}=10\% \geqq 5\%$　　∴　原則的評価方式

丁　$\frac{５個}{120個}=4.16\cdots\% < 5\%$、役員でない

丁を中心に判定

$$\frac{\text{丁５個＋丙12個}}{\text{120個}}=14.16\cdots\% < 25\%$$

∴　他に中心的な同族株主（B′）がいるため配当還元方式

（設問４）

⑴　同族株主の判定

①　乙グループ　$\frac{\text{乙20個＋Ａ18個＋Ａ′　８個＋Ｂ15個＋Ｃ10個＋Ｄ10個＋Ｅ５個}}{\text{200個}}$＝43％ ≧ 30％

∴　同族株主

②　丙グループ　$\frac{\text{丙50個}}{\text{200個}}$＝25％ ＜ 30％　　∴　同族株主以外

⑵　各納税義務者の評価方式の判定

①　乙グループ

乙　$\frac{\text{20個}}{\text{200個}}$＝10％ ≧ ５％　　∴　原則的評価方式

Ａ　$\frac{\text{18個}}{\text{200個}}$＝９％ ≧ ５％　　∴　原則的評価方式

Ａ′　$\frac{\text{８個}}{\text{200個}}$＝４％ ＜ ５％、役員でない

Ａ′を中心に判定

$\frac{\text{Ａ′８個＋Ａ18個＋Ｄ10個＋Ｅ５個＋乙20個}}{\text{200個}}$＝30.5％≧25％

∴　中心的な同族株主に該当するため原則的評価方式

Ｂ　$\frac{\text{15個}}{\text{200個}}$＝7.5％ ≧ ５％　　∴　原則的評価方式

Ｃ・Ｄ　$\frac{\text{10個}}{\text{200個}}$＝ ５％ ≧ ５％　　∴　原則的評価方式

Ｅ　$\frac{\text{５個}}{\text{200個}}$＝2.5％ ＜ ５％、役員でない

Ｅを中心に判定

$\frac{\text{Ｅ５個＋Ｄ10個＋Ａ18個＋Ａ′８個}}{\text{200個}}$＝20.5％ ＜ 25％

∴　他に中心的な同族株主（Ａ′）がいるため配当還元方式

②　丙グループ

丙　　同族株主以外のため配当還元方式

解説

（設問１）

乙、Ａ、Ｂ、Ｃは同族株主のグループに該当し、かつ、議決権割合が５％以上であるため、原則的評価方式となります。

丙、丁は同族株主以外のグループに該当するため、配当還元方式となります。

（設問２）

乙、Ａは同族株主のグループに該当し、かつ、議決権割合が５％以上であるため、原則的評価方式となります。Ｂは同族株主のグループに該当しますが、議決権割合は５％未満です。しかし、役員であるため、原則的評価方式となります。

丙は同族株主のグループに該当し、かつ、議決権割合が５％以上であるため、原則的評価方式となります。

（設問３）

乙、Ａ、Ｂ、Ｃ、Ｄ、丙は同族株主のグループに該当し、かつ、議決権割合が５％以上であるため、原則的評価方式となります。

Ｂ′は同族株主のグループに該当しますが、議決権割合が５％未満であり、かつ、役員でもありません。しかし、中心的な同族株主（Ｂ′からみてＤ′は子の配偶者、乙は配偶者の父母であり共に一親等の姻族です。）に該当するため、原則的評価方式となります。

Ｄ′及び丁は同族株主のグループに該当しますが、議決権割合が５％未満であり、かつ、役員でもありません。また、中心的な同族株主ではなく、他に中心的な同族株主Ｂ′がいるため、配当還元方式となります。

（設問４）

乙、Ａ、Ｂ、Ｃ、Ｄは同族株主のグループに該当し、かつ、議決権割合が５％以上であるため、原則的評価方式となります。

Ａ′は同族株主のグループに該当しますが、議決権割合が５％未満であり、かつ、役員でもありません。しかし、中心的な同族株主（Ａ′からみてＥは子の配偶者、乙は配偶者の父母であり共に一親等の姻族です。）に該当するため、原則的評価方式となります。

Ｅは同族株主のグループに該当しますが、議決権割合が５％未満であり、かつ、役員でもありません。また、Ｅは中心的な同族株主ではなく、他に中心的な同族株主Ａ′がいるため、配当還元方式となります。

丙は同族株主以外のグループに該当するため、配当還元方式となります。

解答　問題2　原則的評価方式

（設問１）　　（単位：円）

Ａ会社の株式

850 ＜ 1,050　∴　850

850×100,000株＝85,000,000

（設問２）

Ｂ会社の株式

800 ＜ 960　∴　800

800×120,000株＝96,000,000

（設問３）

Ｃ会社の株式

※1 1,230×※2 0.75＋※3 1,080×（１－0.75）＝1,192（円未満切捨）

※１　1,230 ＜ 1,350　∴　1,230

※２　0.60 ＜ 0.75　∴　0.75

※３　$1,350\times\frac{80}{100}=1,080$

1,192×88,000株＝104,896,000

（設問４）

Ｄ会社の株式

①　$4,560\times\frac{80}{100}=3,648$

②　5,500×0.50＋3,648×0.50＝4,574

③　① ＜ ②　∴　3,648

3,648×17,500株＝63,840,000

解説

（設問１）（設問２）大会社の株式の評価

⑴　類似業種比準価額

⑵　１株当たりの純資産価額(注)

⑶　⑴又は⑵のいずれか低い方の金額

（注）　株式取得者及び同族関係者の議決権割合が50%以下の場合であっても、大会社の評価においては、$\frac{80}{100}$の割合は乗じません。

（設問３）中会社の株式の評価

類似業種比準価額(注)１×Ｌの割合(注)２＋１株当たりの純資産価額(注)３×（１－Ｌの割合）

(注)１　類似業種比準価額

大会社としての原則的評価方式により評価した金額

①　類似業種比準価額

②　１株当たりの純資産価額

③　①と②のいずれか低い方の金額

(注)２　Ｌの割合

評価会社の直前期末の総資産価額(帳簿価額)及び直前期末以前１年間における従業員数に応ずる割合又は直前期末以前１年間の取引金額に応ずる割合のうちいずれか大きい割合とします。したがって、問題資料にＬの割合が２つ付与されている場合には、大きい割合を用いて計算してください。

☞基礎完成教科書10－14ページの評価明細書第１表の２「判定基準」を参照ください。

(注)３　株式取得者及び同族関係者の議決権割合が50%以下の場合

１株当たりの純資産価額×$\frac{80}{100}$

（設問４）小会社の株式の評価

⑴　１株当たりの純資産価額(注)１

⑵　類似業種比準価額×0.50(注)２＋　１株当たりの純資産価額(注)１×0.50

(注)１　株式取得者及び同族関係者の議決権割合が50%以下の場合

１株当たりの純資産価額×$\frac{80}{100}$

(注)２　小会社のＬの割合は0.50

⑶　⑴と⑵のいずれか低い方の金額

解答　問題3　配当還元方式

（設問１）　　　　　　　　　　　　　　　　　　　　　　　　　　　　　　　　（単位：円）

Ａ会社の株式

①　250

②　1,110 ＞ 1,010　　∴　1,010

③　① ＜ ②　　∴　250

250×25,000株＝6,250,000

（設問２）

Ｂ会社の株式

①　750

②　※1 950×0.60＋※2 816×（１－0.60）＝896（円未満切捨）

※１　950 ＜ 1,020　　∴　950

※２　$1,020 \times \frac{80}{100} = 816$

③　① ＜ ②　　∴　750

750×30,000株＝22,500,000

（設問３）

Ｃ会社の株式

①　5,000

②イ　$11,540 \times \frac{80}{100} = 9,232$

ロ　12,470×0.50＋9,232×0.50＝10,851

ハ　イ ＜ ロ　　∴　9,232

③　① ＜ ②　　∴　5,000

5,000×1,400 株＝7,000,000

解説

配当還元方式

⑴　配当還元価額

⑵　評価会社の区分（大会社・中会社・小会社）に応じた原則的評価額

⑶　⑴と⑵のいずれか低い方の金額

解答　問題4　類似業種比準価額

（設問１）　　　　　　　　　　　　　　　　　　　　（単位：円）

⑴　１株当たりの資本金等の額等

$$\frac{500,000,000}{1,000,000\text{株}}=500、\frac{500,000,000}{50}=10,000,000\text{株}$$

⑵　類似業種比準価額

$$^{A}735\times\left(\frac{\frac{^{Ⓑ}3.4}{3.8}+\frac{^{Ⓒ}42}{46}+\frac{^{Ⓓ}182}{265}}{3}\right)\times0.7=421.8\text{（10銭未満切捨）}$$

A　785、777、762、735、752　∴　735

Ⓑ　$\frac{(35,000,000+33,000,000)\div2}{10,000,000\text{株}}=3.4$

Ⓒ　①　$\frac{425,000,000}{10,000,000\text{株}}=42$（円未満切捨）

　　②　$\frac{(425,000,000+417,000,000)\div2}{10,000,000\text{株}}=42$（円未満切捨）

　　③　①＝②　∴　42

Ⓓ　$\frac{1,823,000,000}{10,000,000\text{株}}=182$（円未満切捨）

$421.8\times\frac{500}{50}=4,218$

（設問２）

⑴　１株当たりの資本金等の額等

$$\frac{100,000,000}{100,000\text{株}}=1,000、\frac{100,000,000}{50}=2,000,000\text{株}$$

⑵　類似業種比準価額

$$^{A}235\times\left(\frac{\frac{^{Ⓑ}2.4}{1.8}+\frac{^{Ⓒ}36}{26}+\frac{^{Ⓓ}242}{215}}{3}\right)\times0.5=149.2\text{（10銭未満切捨）}$$

A　255、247、242、238、235　∴　235

Ⓑ　$\frac{(4,800,000+6,000,000-1,000,000)\div2}{2,000,000\text{株}}=2.4$（10銭未満切捨）

Ⓒ　①　$\frac{75,000,000}{2,000,000\text{株}}=37$（円未満切捨）

　　②　$\frac{(75,000,000+81,000,000-10,000,000)\div2}{2,000,000\text{株}}=36$（円未満切捨）

　　③　①＞②　∴　36

Ⓓ　$\frac{485,000,000}{2,000,000\text{株}}=242$（円未満切捨）

$149.2\times\frac{1,000}{50}=2,984$

解説

類似業種比準価額の計算方法

〔算　式〕

$$A \times \left(\frac{\frac{Ⓑ}{B} + \frac{Ⓒ}{C} + \frac{Ⓓ}{D}}{3} \right) \times 0.7 = \boxed{\quad 円 \quad 0銭} \Leftarrow 10銭未満切捨$$

$$\boxed{\quad 円 \quad 0銭} \times \frac{1株当たりの資本金等の額}{50円} = \boxed{\quad 円} \Leftarrow 円未満切捨$$

(注) 1　A、B、C、D、Ⓑ、Ⓒ、Ⓓの金額

A：類似業種の株価

※　課税時期の属する月以前３か月間の各月の類似業種の株価、類似業種の前年平均株価、課税時期の属する月以前２年間の平均株価のうち最も低い金額

B：課税時期の属する年の類似業種の１株当たりの配当金額

C：課税時期の属する年の類似業種の１株当たりの年利益金額

D：課税時期の属する年の類似業種の１株当たりの純資産価額（帳簿価額）

Ⓑ：評価会社の直前期末以前２年間の１株当たりの平均配当金額※1、2

※1　特別配当、記念配当等の非経常的な配当を除きます。

※2　各事業年度中に配当金交付の効力が発生した剰余金の配当(資本金等の額の減少によるものを除きます。)

Ⓒ：評価会社の直前期末以前１年間の１株当たりの利益金額※1、2

※1　１株当たりの利益金額

①　直前期末以前１年間における１株当たりの利益金額

②　直前期末以前２年間の１株当たりの平均利益金額

③　①と②のいずれか低い金額

※2　固定資産売却益、保険差益等の非経常的な利益を除きます。

Ⓓ：評価会社の直前期末における１株当たりの純資産価額（帳簿価額）

※　純資産価額は、資本金等の額及び利益積立金額の合計額です。

なお、B、C、Dの金額は１株当たりの資本金等の額を50円とした場合の金額として計算されていますので、評価会社の１株当たりの資本金等の額が50円以外の金額であるときは、Ⓑ、Ⓒ、Ⓓの金額を１株当たりの資本金等の額が50円とした場合の金額に修正し、最後に評価会社の資本金等の額に相当する金額に戻します。

(注) 2　端数処理

①　Ⓑは10銭未満切捨、Ⓒ及びⓓは円未満切捨

②　$\frac{Ⓑ}{B}$、$\frac{Ⓒ}{C}$、$\frac{Ⓓ}{D}$、$\frac{\frac{Ⓑ}{B} + \frac{Ⓒ}{C} + \frac{Ⓓ}{D}}{3}$の比準割合の計算は、すべて小数点以下２位未満切捨

(注) 3　上記算式中の「0.7」は大会社の斟酌率であり、中会社の株式を評価する場合には「0.6」、小会社の株式を評価する場合には「0.5」とします。

解答　問題5　業種目の判定

（単位：円）

⑴　類似業種比準価額

１株当たりの資本金等の額等　$\frac{50,000,000}{100,000株}=500$、$\frac{50,000,000}{50}=1,000,000株$

①　小分類（食料・飲料卸売業）

$$^{A}193\times\left(\frac{\frac{^{Ⓑ}2.9}{4.0}+\frac{^{Ⓒ}27}{31}+\frac{^{Ⓓ}252}{294}}{3}\right)\times0.6=93.7\text{(10銭未満切捨)}$$

A　218、211、203、193、212　∴　193

Ⓑ　$\frac{(3,000,000+2,800,000)\div2}{1,000,000株}=2.9$

Ⓒ　①　$\frac{29,000,000}{1,000,000株}=29$

②　$\frac{(29,000,000+26,000,000)\div2}{1,000,000株}=27$（円未満切捨）

③　①　>　②　　∴　27

Ⓓ　$\frac{252,000,000}{1,000,000株}=252$

②　中分類（飲食料品卸売業）

$$^{A}140\times\left(\frac{\frac{^{Ⓑ}2.9}{3.1}+\frac{^{Ⓒ}27}{19}+\frac{^{Ⓓ}252}{232}}{3}\right)\times0.6=95.7\text{(10銭未満切捨)}$$

A　158、151、144、140、156　∴　140

③　①　<　②　　∴　93.7

$93.7\times\frac{500}{50}=937$

⑵　純資産価額

3,096

⑶　評価額

※937×0.60＋3,096×（１－0.60）＝1,800（円未満切捨）

※　937　<　3,096　　∴　937

1,800×55,000株＝99,000,000

解説

1　評価会社の事業が該当する業種目

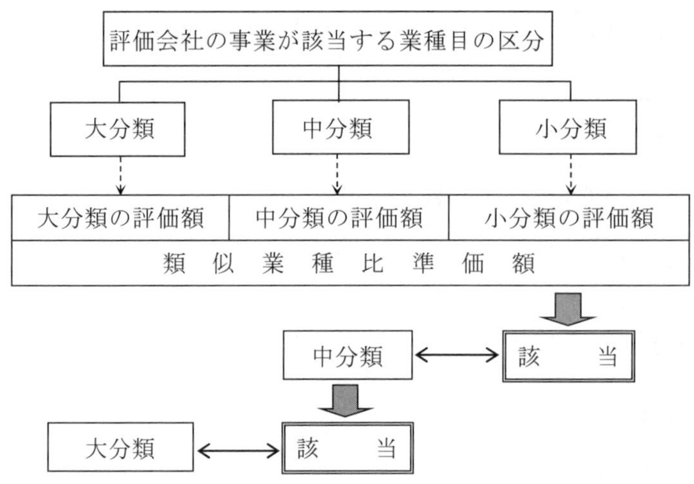

⑴　小分類に区分される場合

➜　小分類に基づく評価額と中分類に基づく評価額のいずれか低い方を選択します。

⑵　中分類に区分される場合

➜　中分類に基づく評価額と大分類に基づく評価額のいずれか低い方を選択します。

⑶　大分類に区分される場合

➜　大分類に基づく評価額となります。

2　評価会社の業種目が２以上ある場合

評価会社の事業が該当する業種目は「直前期末以前１年間における取引金額」に基づいて判定した業種目とします。なお、その取引金額のうちに２以上の業種目に係る取引金額が含まれている場合には、取引金額のうちに占める業種目別の取引金額の割合が50%を超える業種目とします。

解答　問題6　純資産価額①

（設問１）　　（単位：円）

⑴　相続税評価額による純資産価額

3, 820, 000, 000－1, 150, 000, 000＝2, 670, 000, 000

⑵　帳簿価額による純資産価額

2, 580, 000, 000－1, 150, 000, 000＝1, 430, 000, 000

⑶　評価差額に対する法人税等相当額

(⑴－⑵)×37%＝458, 800, 000

⑷　１株当たりの純資産価額

$\frac{(1)-(3)}{300,000株}$＝7, 370（円未満切捨）

（設問２）

⑴　相続税評価額による純資産価額

628, 564, 000－215, 823, 000＝412, 741, 000

⑵　帳簿価額による純資産価額

382, 755, 000－215, 823, 000＝166, 932, 000

⑶　評価差額に対する法人税等相当額

(⑴－⑵)×37%＝90, 949, 000（千円未満切捨）

⑷　１株当たりの純資産価額

$\frac{(1)-(3)}{20,000株}$＝16, 089（円未満切捨）

⑸　株式取得者及び同族関係者の議決権割合が50%以下の場合

⑷×$\frac{80}{100}$＝12, 871（円未満切捨）

解説

１株当たりの純資産価額の計算方法

〔算　式〕

⑴　相続税評価額による純資産価額

相続税評価額の資産総額－負債総額

⑵　帳簿価額による純資産価額

帳簿価額の資産総額－負債総額

⑶　評価差額に対する法人税等相当額

(⑴－⑵)×37%

⑷　１株当たりの純資産価額

$\frac{(1)-(3)}{課税時期現在の発行済株式数}$

⑸　株式取得者及び同族関係者の議決権割合が50%以下の場合

⑷×$\frac{80}{100}$

解答　問題7　純資産価額②

⑴　評価方式の判定　（単位：円）

配偶者乙　中心的な同族株主に該当するため原則的評価方式

⑵　評　価

①　**純資産価額**

イ　378,000,000－50,000,000＋58,000,000－(107,000,000＋※12,000,000)＝267,000,000

ロ　233,000,000－(107,000,000＋※12,000,000)＝114,000,000

※　10,000,000＋5,000,000－＊3,000,000＝12,000,000

＊　5,000,000 ＞ 500,000×６月＝3,000,000　∴　3,000,000

ハ　(イ－ロ)×37%＝56,610,000

ニ　$\frac{イ－ハ}{1,000,000株}$＝210(円未満切捨)

ホ　210×$\frac{80}{100}$＝168

②　**併用方式による評価額**

148×0.50＋168×0.50＝158

③　① ＞ ②　∴　158

158×80,000株＝12,640,000

解説

①　**課税時期前３年以内に取得した土地等**

課税時期において評価会社が有する各資産を評価する場合において、各資産のうちに評価会社が課税時期前３年以内に取得又は新築をした土地(土地の上に存する権利)並びに家屋及びその附属設備又は構築物がある場合には、課税時期における通常の取引価額によって評価します。これは、土地の実勢価格と相続税評価額が著しく乖離している地域において、その差額を利用した純資産価額の引き下げを防止するための措置です。

②　**相続人等に支払った退職手当金等の額**

評価会社が相続人等に支払った退職手当金等については、課税時期において評価会社の債務には該当しませんが、評価会社の負債（相続税評価額及び帳簿価額）に計上します。これは、退職手当金等がみなし取得財産として相続税の課税対象となっているため、純資産価額方式による評価においてこれを負債計上しないとすると、相続税の二重課税が生じることから負債計上を認めているものです。

したがって、弔慰金についてもその弔慰金のうち退職手当金等として課税される金額部分は負債計上することができます。

解答　問題8　配当還元価額

（設問１）　　　　（単位：円）

⑴　１株当たりの資本金等の額等　$\frac{30,000,000}{600,000株}=50$、$\frac{30,000,000}{50}=600,000株$

⑵　年配当金額　$\frac{(4,200,000+4,500,000)\div 2}{600,000株}=7.25 \geqq 2.50$　∴　7.25

⑶　１株当たりの配当還元価額　$\frac{7.25}{10\%}\times\frac{50}{50}=72$（円未満切捨）

（設問２）

⑴　１株当たりの資本金等の額等　$\frac{100,000,000}{200,000株}=500$、$\frac{100,000,000}{50}=2,000,000株$

⑵　年配当金額　$\frac{\{27,500,000+(30,000,000-4,000,000)\}\div 2}{2,000,000株}=13.37$（銭未満切捨）$\geqq 2.50$

∴　13.37

⑶　１株当たりの配当還元価額　$\frac{13.37}{10\%}\times\frac{500}{50}=1,337$

（設問３）

⑴　１株当たりの資本金等の額等　$\frac{50,000,000}{1,000,000株}=50$、$\frac{50,000,000}{50}=1,000,000株$

⑵　年配当金額　$\frac{(2,200,000+1,700,000)\div 2}{1,000,000株}=1.95 < 2.50$　∴　2.50

⑶　１株当たりの配当還元価額　$\frac{2.50}{10\%}\times\frac{50}{50}=25$

解説

配当還元価額の計算方法

〔算　式〕

$$\frac{\text{その株式に係る年配当金額}^{※}}{10\%}\times\frac{\text{1株当たりの資本金等の額}}{\text{50円}}=\text{（円未満切捨）}$$

※　年配当金額（注１）＝ $\frac{\text{直前期末以前2年間における配当金額の合計額（注2）}\div 2}{\text{直前期末の発行済株式数（注3）}}$（銭未満切捨）

（注１）　年配当金額が２円50銭未満及び無配の場合は、２円50銭とします。

（注２）　各事業年度中に配当金交付の効力が発生した剰余金の配当（資本金等の額の減少によるものを除きます。）。なお、特別配当、記念配当等の非経常的な配当を除きます。

（注３）　１株当たりの資本金等の額が50円以外の金額の評価会社の場合は、

$\frac{\text{直前期末における資本金等の額}}{\text{50円}}$ により計算した株数とします。

Memorandum Sheet

総合計算問題

No	内　容	標準時間	重要度	難易度
問題１	総合計算問題①	70分	A	基本
問題2	総合計算問題②	80分	A	応用

➜ 答案用紙　12／解答　総合計算－6

問題１　総合計算問題①

基本　70分

下記の【資料】に基づいて、被相続人甲に係る各相続人及び受遺者(以下「相続人等」という。)の納付すべき相続税額を、計算の過程を示して求めなさい。なお、算出相続税額を求める場合のあん分割合の調整は、小数点以下２位未満の端数の大きいものから順次繰り上げて、その合計が1.00となるように調整すること。

【資　料】

1　被相続人甲は、令和７年３月１日東京都内で勤務中の事故により死亡し、相続人等はすべて同日その事実を知った。なお、被相続人甲の死亡は業務上の死亡と認められる。

2　被相続人甲の相続人等の状況は、次の図に示すとおりである。

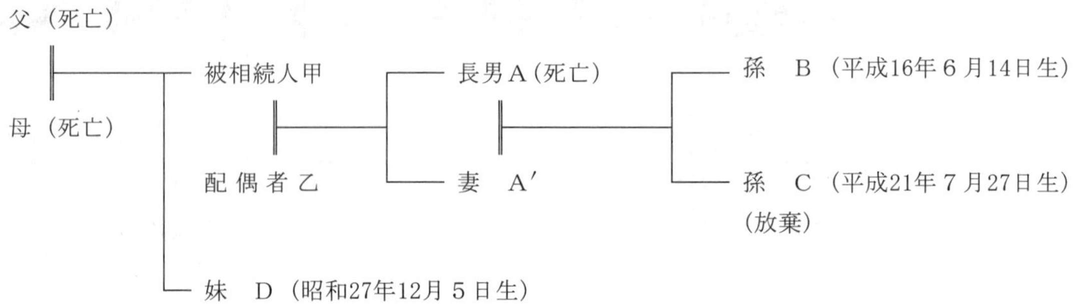

（注）1　上記に掲げる者全員が、相続開始の時において日本国籍を有し、日本国内に住所を有している。

2　妹Ｄは相続開始時において一般障害者に、孫Ｂは出生時より特別障害者に該当している。
なお、妹Ｄ及び孫Ｂは過去に障害者控除の適用を受けたことはない。

3　上記において生年月日の記載のない者は全員18歳以上である。

4　被相続人甲に係る相続について、孫Ｃは家庭裁判所に申述し、適法に相続の放棄をしている。

5　妻Ａ′(昭和49年２月24日生)は平成10年８月に長男Ａとの婚姻の際、被相続人甲及び配偶者乙との養子縁組届を提出した。

6　父、母及び長男Ａは既に死亡しているが、父及び長男Ａの相続については、相続税の課税関係は生じていない。
なお、母が死亡(平成28年10月死亡)した際における被相続人甲の相続税の申告内容は、次のとおりである。

相続財産価額	200,000千円
債務控除額	△　20,000千円
純資産価額	180,000千円
生前贈与加算額	15,000千円
課税価格	195,000千円
算出相続税額	47,000千円
税額控除額	△　5,250千円
納付税額	41,750千円

3　被相続人甲は、適法な手続を経て作成した公正証書による遺言書により、相続人等にそれぞれ次のとおり遺産(特に指示のあるものを除き、財産の所在は日本国内である。)の一部を遺贈している。

⑴　配偶者乙が取得した財産

①　土　　地　　123,456千円

②　建　　物　　54,321千円

③　株　　式　　62,300千円

配偶者乙は取得した株式のうち14,000千円を相続税の申告期限までに宗教法人E寺院に贈与している。

④　社　　債　　8,000千円

配偶者乙は取得した社債のうち3,000千円を相続税の申告期限までに社会福祉法人F会の設立のために提供している。

⑵　妻A′が取得した財産

①　米国所在土地　　25,000千円

この在外財産の取得につき米国で相続税に相当する税2,000千円が課されている。

②　株　　式　　15,000千円

③　仏　　像　　5,000千円

この仏像は被相続人甲が骨董品として所有していたものである。

⑶　孫Bが取得した財産

定期預金　　30,000千円

⑷　孫Cが取得した財産

①　土　　地　　41,000千円

②　普通預金　　26,000千円

孫Cは取得した普通預金のうち3,000千円を相続税の申告期限までに東京都港区に贈与している。

4　上記3を除く被相続人甲の遺産は、総額300,000千円(墓地30,000千円が含まれている。)であり、相続税の申告期限までに各相続人間の協議に基づいて分割が行われ、各相続人は民法第900条〔法定相続分〕及び第901条〔代襲相続分〕の規定による相続分に応じて取得した。

5　被相続人甲の死亡時における債務は次のとおりであり、全て妻A′が負担した。

銀行借入金	20,000千円
米国所在土地に係る未払金	5,000千円
墓地購入に係る未払金	4,000千円
未納公租公課	1,000千円

6　被相続人甲の葬儀に要した費用は次のとおりであり、相続税の申告期限までに負担者が確定していないため、香典2,000千円を取得した配偶者乙が一時的に立替払いしている。

葬式費用	3,000千円
香典返戻費用	1,000千円
初七日法会費用	500千円

7　被相続人甲の相続開始時において次のような生命保険契約があった。

被保険者	保険金受取人	保険契約者	保険金額	払込済保険料	保険料負担者	備考
被相続人甲	妻　A′	被相続人甲	48,000千円	10,000千円	被相続人甲全額	—
被相続人甲	配偶者乙	被相続人甲	40,000千円	4,000千円	被相続人甲 $\frac{1}{2}$ 配偶者乙 $\frac{1}{2}$	(注)
被相続人甲	妹　D	被相続人甲	15,000千円	3,000千円	被相続人甲全額	—

(注)　配偶者乙は、取得した保険金のうち8,000千円を相続税の申告期限までに国立大学法人G大学に贈与している。

8　被相続人甲の死亡退職に伴い、生前の勤務会社であるH社より退職手当金40,000千円及び弔慰金20,000千円が配偶者乙に支給された。なお、被相続人甲の死亡時における普通給与の額は月額550千円であった。

9　相続人等は、生前、被相続人甲から次の贈与を受けている。受贈者は他に贈与を受けた事実はなく、贈与税は適法に申告と納付を行っている。

贈与年月	受贈者	贈与財産	贈与時の時価	相続開始時の時価	(注)
令和4年2月	妹　D	動産	3,500千円	3,000千円	—
令和4年5月	妹　D	骨董	10,000千円	11,500千円	1
令和4年12月	妹　D	現金	5,000千円	5,000千円	—
令和5年5月	孫　B	信託受益権	20,000千円	20,000千円	2
令和5年8月	妻　A′	現金	5,000千円	5,000千円	—
令和6年4月	孫　B	信託受益権	50,000千円	50,000千円	3
令和6年9月	配偶者乙	居住用家屋	23,000千円	24,000千円	4
令和7年1月	妻　A′	日本国債	15,000千円	15,200千円	—
令和7年2月	妻　A′	現金	25,000千円	25,000千円	—

(注)　1　死因贈与契約である。

2　特定障害者扶養信託契約に基づく障害者非課税信託申告書を提出している。

3　上記2の追加信託である。

4　配偶者乙は令和6年分の贈与税の申告に当たり、贈与税の配偶者控除の適用を受けている。

相続税の速算表（平成27年１月１日以降適用）

各法定相続人の取得金額	税率	控除額	各法定相続人の取得金額	税率	控除額
10,000千円以下	10%	—	200,000千円以下	40%	17,000千円
30,000千円以下	15	500千円	300,000千円以下	45	27,000千円
50,000千円以下	20	2,000千円	600,000千円以下	50	42,000千円
100,000千円以下	30	7,000千円	600,000千円超	55	72,000千円

贈与税の速算表（一般税率）（平成27年１月１日以降適用）

基礎控除後の課税価格	税率	控除額	基礎控除後の課税価格	税率	控除額
2,000千円以下	10%	—	10,000千円以下	40%	1,250千円
3,000千円以下	15	100千円	15,000千円以下	45	1,750千円
4,000千円以下	20	250千円	30,000千円以下	50	2,500千円
6,000千円以下	30	650千円	30,000千円超	55	4,000千円

贈与税の速算表（特例税率）（平成27年１月１日以降適用）

基礎控除後の課税価格	税率	控除額	基礎控除後の課税価格	税率	控除額
2,000千円以下	10%	—	15,000千円以下	40%	1,900千円
4,000千円以下	15	100千円	30,000千円以下	45	2,650千円
6,000千円以下	20	300千円	45,000千円以下	50	4,150千円
10,000千円以下	30	900千円	45,000千円超	55	6,400千円

解答　総合計算問題①

I　相続人及び受遺者の相続税の課税価格の計算

1　遺贈財産価額の計算　（単位：円）

取得者	財産の種類	計算過程	金額
配偶者乙	土地		123,456,000
	建物		54,321,000
	株式	宗教法人への贈与は措法70の非課税の適用なし	62,300,000
	社債	設立のための提供は措法70の非課税の適用なし	8,000,000
妻　A′	米国所在土地		25,000,000
	株式		15,000,000
	仏像		5,000,000
孫　B	定期預金		30,000,000
孫　C	土地		41,000,000
	普通預金	26,000,000－※3,000,000＝23,000,000 ※　措法70の非課税	23,000,000
妹　D	骨董	死因贈与	11,500,000

2　分割財産価額の計算　（単位：円）

取得者	計算過程	金額
	300,000,000－※30,000,000＝270,000,000 ※　墓地は相続税の非課税	
配偶者乙	270,000,000× $\frac{1}{2}$ ＝135,000,000	135,000,000
妻　A′	270,000,000× $\frac{1}{2}\times\frac{1}{2}$ ＝ 67,500,000	67,500,000
孫　B	270,000,000× $\frac{1}{2}\times\frac{1}{2}$ ＝ 67,500,000	67,500,000

3　相続又は遺贈によるみなし取得財産価額の計算			(単位：円)
財産の種類	取得者	計算過程	金額
生命保険金等	妻　A′	48,000,000－(注)16,000,000＝32,000,000	32,000,000
	配偶者乙	$40,000,000\times\frac{1}{2}$－※8,000,000＝12,000,000	8,000,000
		※　措法70の非課税	
		12,000,000－(注)4,000,000＝8,000,000	
	妹　D		15,000,000
		(注) 生命保険金等の非課税	
		(1)　5,000,000×４人＝20,000,000	
		(2)　48,000,000＋12,000,000＝60,000,000	
		(3)　(1)＜(2)　∴　20,000,000	
		A′ } $20,000,000\times\frac{48,000,000}{60,000,000}$＝16,000,000	
		乙 } $20,000,000\times\frac{12,000,000}{60,000,000}$＝4,000,000	
		Dは相続人でないため非課税の適用なし	
退職手当金等	配偶者乙	40,000,000＋20,000,000－※19,800,000＝40,200,000	20,200,000
		※　弔慰金等の判定	
		20,000,000＞550,000×36月＝19,800,000	
		∴　19,800,000	
		40,200,000－(注)20,000,000＝20,200,000	
		(注) 退職手当金等の非課税	
		5,000,000×４人＝20,000,000＜40,200,000	
		∴　20,000,000	

4　債務控除額の計算			(単位：円)
債務及び葬式費用	負担者	計算過程	金額
債務	妻　A′	20,000,000＋5,000,000＋1,000,000＝26,000,000	△　26,000,000
		墓地購入に係る未払金は控除できない	
葬式費用	配偶者乙	$3,000,000\times\frac{1}{2}$＝1,500,000	△　1,500,000
	妻　A′	$3,000,000\times\frac{1}{2}\times\frac{1}{2}$＝750,000	△　750,000
	孫　B	$3,000,000\times\frac{1}{2}\times\frac{1}{2}$＝750,000	△　750,000
		香典返戻費用及び初七日法会費用は控除できない	
		香典収入は贈与税の非課税	

5　生前贈与加算額の計算　（単位：円）

贈与年分	受贈者	計算過程	加算される金額
令和４年	妹　D		5,000,000
令和５年	孫　B	20,000,000－※20,000,000＝0 ※　20,000,000≦60,000,000　∴　20,000,000	0
令和５年	妻　A′		5,000,000
令和６年	孫　B	50,000,000－※40,000,000＝10,000,000 ※　50,000,000＞60,000,000－20,000,000＝40,000,000 ∴ 40,000,000	10,000,000
令和６年	配偶者乙	23,000,000－※20,000,000＝3,000,000 ※　23,000,000≧20,000,000　∴　20,000,000	3,000,000
令和７年	妻　A′	15,000,000＋25,000,000＝40,000,000	40,000,000

6　各相続人等の相続税の課税価格の計算　（単位：円）

区分＼相続人等		配偶者乙	妻　A′	孫　B	孫　C	妹　D	計
遺贈財産		248,077,000	45,000,000	30,000,000	64,000,000	11,500,000	
分割財産		135,000,000	67,500,000	67,500,000			
みなし財産	生命保険金等	8,000,000	32,000,000			15,000,000	
	退職手当金等	20,200,000					
債務控除	債務		△26,000,000				
	葬式費用	△ 1,500,000	△ 750,000	△ 750,000			
純資産価額		409,777,000	117,750,000	96,750,000	64,000,000	26,500,000	714,777,000
生前贈与加算		3,000,000	45,000,000	10,000,000		5,000,000	
課税価格（千円未満切捨）		412,777,000	162,750,000	106,750,000	64,000,000	31,500,000	777,777,000

Ⅱ　相続税の総額の計算

課税価格の合計額			遺産に係る基礎控除額	課税遺産額	
777,777千円			30,000＋6,000×4人＝54,000千円	723,777千円	
法定相続人		法定相続分	法定相続分に応ずる各取得金額	相続税の総額の基となる税額	
配偶者乙		$\frac{1}{2}$	361,888千円	138,944,000円	
妻　A′		$\frac{1}{2}\times\frac{1}{2}$	180,944	55,377,600	
孫　B		$\frac{1}{2}\times\frac{1}{2}\times\frac{1}{2}$	90,472	20,141,600	
孫　C		$\frac{1}{2}\times\frac{1}{2}\times\frac{1}{2}$	90,472	20,141,600	
合　計	4人	1		相続税の総額（百円未満切捨）	234,604,800円

Ⅲ　各相続人等の納付すべき相続税額の計算

1　各相続人等の納付税額の計算　（単位：円）

区分＼相続人等	配偶者乙	妻　A′	孫　B	孫　C	妹　D	計
あん分割合	0.53	0.21	0.14	0.08	0.04	1.00
算出税額	124,340,544	49,267,008	32,844,672	18,768,384	9,384,192	234,604,800
相続税額の加算額				3,753,676	1,876,838	
贈与税額控除額	△　190,000	△　485,000	△　1,770,000		△　1,005,882	
配偶者の税額軽減額	△117,302,400					
未成年者控除額				△　300,000		
障害者控除額			△13,000,000			
相次相続控除額	△　4,787,000	△　1,375,551	△　1,130,230			
外国税額控除額		△　2,000,000				
納付税額(百円未満切捨)	2,061,100	45,406,400	16,944,400	22,222,000	10,255,100	

2　税額控除等の計算　（単位：円）

項目	対象者	計算過程	金額
相続税額の加算	孫　C	$18,768,384\times\frac{20}{100}=3,753,676$	3,753,676
	妹　D	$9,384,192\times\frac{20}{100}=1,876,838$	1,876,838
贈与税額控除	妹　D	(3,500,000＋5,000,000－1,100,000)×40％－1,250,000＝1,710,000 $1,710,000\times\frac{5,000,000}{3,500,000+5,000,000}=1,005,882$	△　1,005,882

	孫　B	(10,000,000－1,100,000)×30%－900,000＝1,770,000	△ 1,770,000
	妻　A′	(5,000,000－1,100,000)×15%－100,000＝485,000 相続開始年分の贈与は非課税	△ 485,000
	配偶者乙	(23,000,000－20,000,000－1,100,000)×10%＝190,000	△ 190,000
配偶者の税額軽減	配偶者乙	⑴　124,340,544－190,000＝124,150,544 ⑵①　$777,777,000\times\frac{1}{2}=388,888,500\geqq160,000,000$ ∴　388,888,500 ②　412,777,000 ③　①＜②　∴　388,888,500 ④　$\frac{234,604,800\times③}{777,777,000}=117,302,400$ ⑶　⑴＞⑵④　∴　117,302,400	△117,302,400
未成年者控除	孫　C	100,000×(18歳－15歳)＝300,000	△ 300,000
障害者控除	孫　B	200,000×(85歳－20歳)＝13,000,000 Dは法定相続人でないため適用なし	△13,000,000
相次相続控除		$41,750,000\times\frac{714,777,000}{180,000,000-41,750,000}\left(>\frac{100}{100}\quad∴\frac{100}{100}\right)$ $\times\frac{10-{}^{※}8}{10}=8,350,000$ ※　平成28年10月～令和7年3月 → 8年5月 ∴　8年	
	配偶者乙	$8,350,000\times\frac{409,777,000}{714,777,000}=4,787,000$	△ 4,787,000
	妻　A′	$8,350,000\times\frac{117,750,000}{714,777,000}=1,375,551$	△ 1,375,551
	孫　B	$8,350,000\times\frac{96,750,000}{714,777,000}=1,130,230$ C及びDは相続人でないため適用なし	△ 1,130,230
外国税額控除	妻　A′	⑴　2,000,000 ⑵　$^{※}47,406,457\times\frac{25,000,000-5,000,000}{117,750,000+40,000,000}=6,010,327$ ※　49,267,008－485,000－1,375,551＝47,406,457 ⑶　⑴＜⑵　∴　2,000,000	△ 2,000,000

➜答案用紙18　解答／総合計算－20

問題２　総合計算問題②

被相続人甲の相続人及び受遺者（以下「相続人等」という。）の納付すべき相続税額に関し、それらの者から提供があった資料は下記の【資料Ⅰ】のとおりである。この【資料Ⅰ】と奥行価格補正率等を掲げた【資料Ⅱ】により、各相続人等の納付すべき相続税額を、計算の過程を示して求めなさい。

なお、小規模宅地等の特例については小規模宅地等の課税価格の合計額が最も少なくなる方法を選択するものとして答案用紙の３「小規模宅地等の特例の計算」欄に記入するとともに、その適用を受ける財産の答案用紙の「課税価格に算入される金額」欄には、これらの適用を受ける前の評価額を記入しなさい。

また、障害者控除額の適用に当たり、控除不足額が生じた場合には配偶者乙の算出相続税額から控除することとし、各相続人等の算出相続税額の計算に当たってのあん分割合は、端数処理の調整を行わずに計算するものとする。

【資料Ⅰ】

1　被相続人甲は令和７年５月14日東京都港区の総合病院で死亡し、相続人等はすべて同日中にその事実を知った。なお、被相続人甲の死亡は業務上の死亡とは認められない。

2　被相続人甲の相続人等の状況は、次のとおりである。

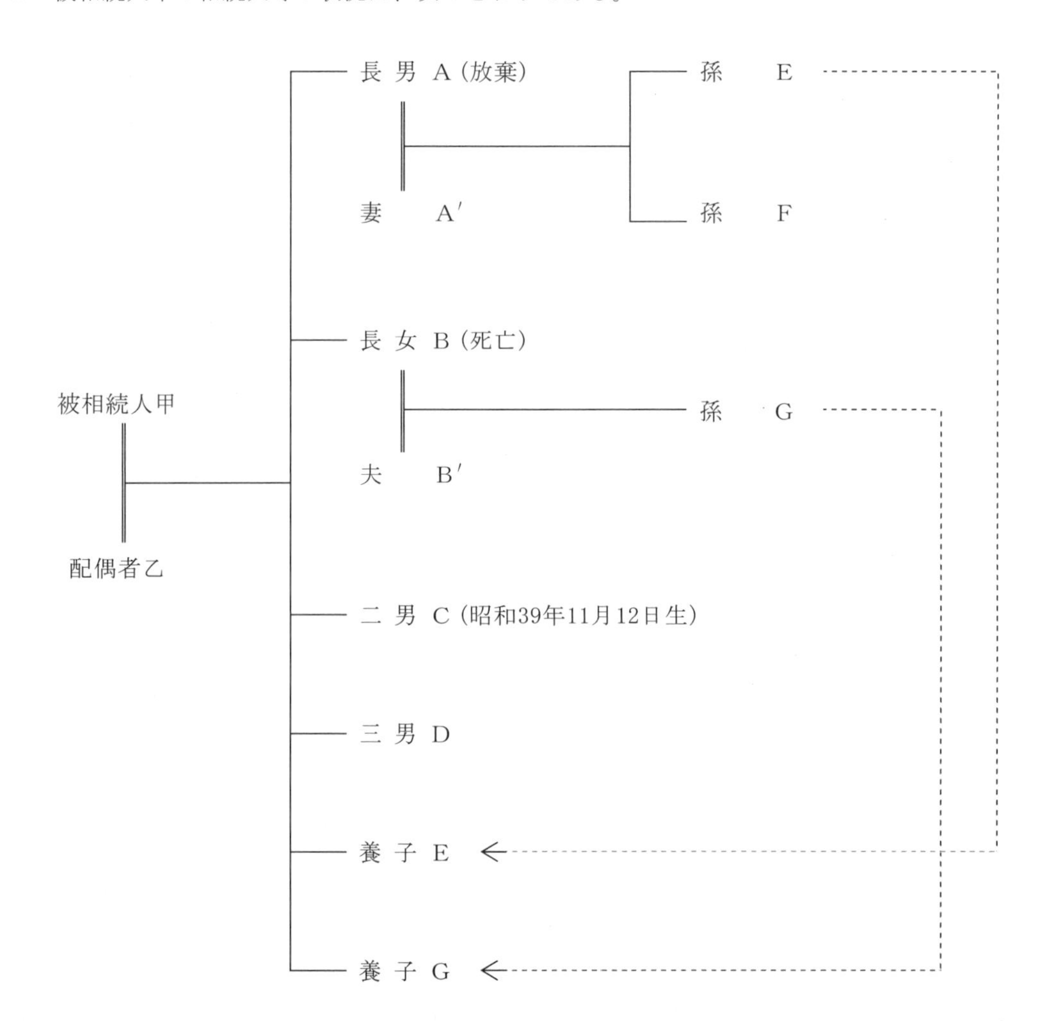

被相続人甲
‖
配偶者乙

- 長男　A（放棄）
  ‖
  妻　A′
  - 孫　E
  - 孫　F
- 長女　B（死亡）
  ‖
  夫　B′
  - 孫　G
- 二男　C（昭和39年11月12日生）
- 三男　D
- 養子　E ←（孫E）
- 養子　G ←（孫G）

（注）1　被相続人甲及び各相続人等は相続開始時において日本国籍を有し、かつ、日本国内に住所を有していた。また、相続人等は相続開始時においてすべて18歳以上である。

2　養子E及び養子Gは、いずれも被相続人甲の孫であるが、平成24年10月に被相続人甲及び配偶者乙と適法に養子縁組を行っている。

3　長男Aは被相続人甲の相続について家庭裁判所に申述し、適法に相続の放棄をしている。

4　長女Bは平成13年10月12日に死亡しているが、長女Bの相続に際し、養子G（昭和60年３月10日生まれ）は一般障害者として障害者控除3,240,000円の控除を受けている。なお、養子Gは被相続人甲の相続開始時において特別障害者に該当している。

3　被相続人甲の遺産等は次のとおりである。なお、財産の所在はいずれも日本国内である。

⑴　被相続人甲は適法な手続を経て作成した公正証書による遺言書により、相続人等にそれぞれ次のとおり遺産の一部を遺贈している。なお、受遺者はいずれも遺贈の放棄をしていない。

（注）1　宅地及び家屋はすべて借地権割合が50%、借家権割合が30%の地域に所在するものとする。

2　株式を取得した者は課税時期においてその株式に関する権利が生じている場合には、その権利も取得するものとする。

3　非上場株式の評価上、評価差額に対する法人税額等に相当する金額を計算する必要がある場合の率は、37%とする。

4　宅地の取得者は、相続税の申告期限までその宅地を引き続き所有し、かつ、相続開始前と同一の用途に供しているものとする。

①　港区所在の宅地（360㎡）は、配偶者乙に遺贈する。

この宅地は、路線価地域（普通住宅地区）に所在し、その地形等は次のとおりである。

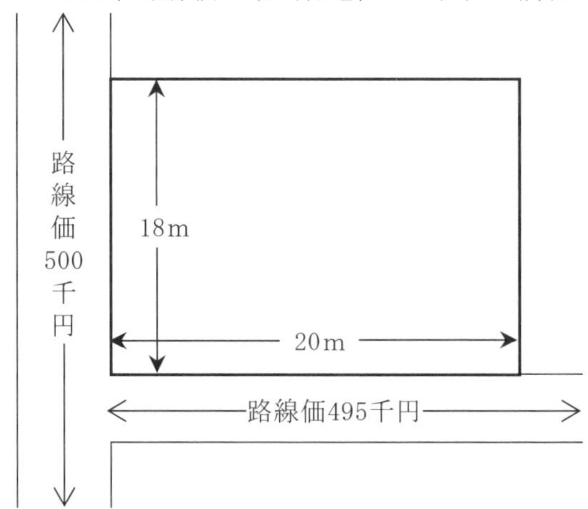

②　港区所在の家屋（250㎡）は、配偶者乙に遺贈する。

この家屋は上記①の宅地の上に建てられており、固定資産税評価額は40,500,000円である。

この家屋は被相続人甲及び配偶者乙が居住の用に供していたものであるが、被相続人甲は令和４年７月７日、この家屋の３分の２を配偶者乙に贈与（贈与時の家屋全体の固定資産税評価額は40,800,000円であった。）しており、配偶者乙はこの贈与につき贈与税の配偶者控除の適用を受けている。なお、この贈与後において、被相続人甲と配偶者乙との間で地代及び家賃の授受は行われていない。

③　文京区所在の宅地(120㎡)は、長男Aに遺贈する。

この宅地は、路線価地域（普通住宅地区）に所在し、その地形等は次のとおりである。

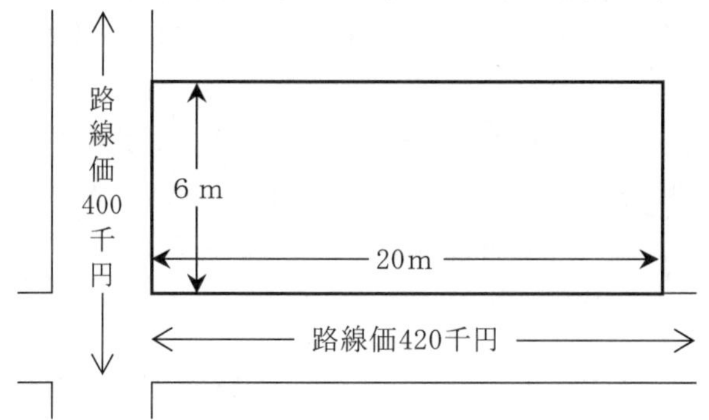

④　文京区所在の家屋(200㎡)は、長男Aに遺贈する。

この家屋は③の宅地の上に建てられており、固定資産税評価額は12,000,000円である。なお、この家屋は被相続人甲が平成14年２月から賃貸借契約によって第三者に貸し付けていた。また、長男Aは相続税の申告期限までに被相続人甲の貸付事業を承継している。

⑤　品川区所在の宅地(450㎡)は、二男Cに遺贈する。

この宅地は、路線価地域に所在し、その地形等は次のとおりである。

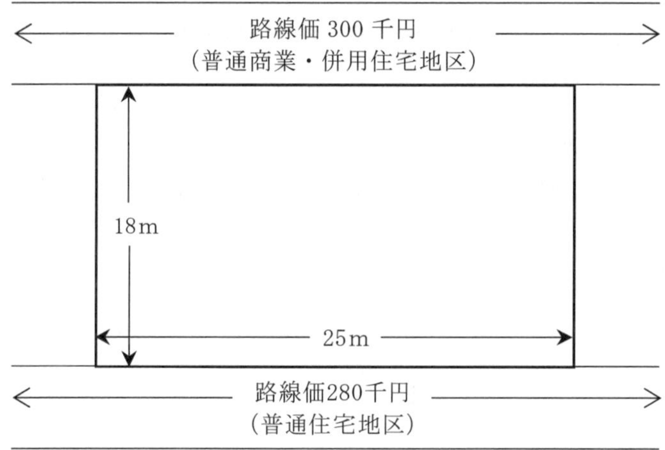

⑥　品川区所在の家屋(240㎡)は、二男Cに遺贈する。

この家屋は⑤の宅地の上に建てられており、固定資産税評価額は18,000,000円である。なお、この家屋は平成22年４月から被相続人甲の営む事業用店舗として利用されていた。また、二男Cは相続税の申告期限までに被相続人甲の事業を承継している。

⑦　Ｈ社の株式(20,000株)は、配偶者乙に遺贈する。

この株式は金融商品取引所に上場されており、その株価の状況等は次のとおりである。

イ　株価の状況

令和７年５月12日における最終価格	2,530円
令和７年５月13日における最終価格	取引なし
令和７年５月14日における最終価格	取引なし
令和７年５月15日における最終価格	2,560円
令和７年５月の毎日の最終価格の月平均額	2,590円
令和７年４月の毎日の最終価格の月平均額	3,280円
令和７年４月１日から27日までの毎日の最終価格の平均額	3,360円
令和７年４月28日から30日までの毎日の最終価格の平均額	2,550円
令和７年３月の毎日の最終価格の月平均額	3,560円

ロ　株式の割当の基準日　　令和７年５月１日

ハ　株式の割当の日　　令和７年６月１日

ニ　払込金額　　株式１株につき500円

ホ　株式の割当数　　１株につき0.5株

ヘ　権利落の日　　令和７年４月28日

⑧　Ｊ社の株式(1,000株)は、三男Ｄに遺贈する。

この株式の評価に必要な資料は、次のとおりである。

イ　Ｊ社の資本金等の額は10,000,000円であり、発行済株式総数は5,000株(議決権は100株を１個とする。)である。

ロ　Ｊ社は小売業を営む会社で、その株式は取引相場のない株式であり、その評価上の区分は、中会社である。なお、Ｌの割合は0.60とする。

ハ　Ｊ社の事業年度は１年であり、決算日は３月末日である。

ニ　相続開始直前の株主の構成は次のとおりである。

被相続人甲（役員）	1,000株	長男Ａ（役員）	1,000株
配偶者乙　（役員）	2,000株	その他の株主	1,000株

ホ　課税時期におけるＪ社の資産及び負債の状況は次のとおりである。

	相続税評価額	帳簿価額
資産の金額	155,870,000円	148,370,000円
負債の金額(注)	25,000,000円	25,000,000円

(注)　負債の金額には下記４(2)に掲げる退職功労金及び弔慰金は含まれていない。

ヘ　類似業種の比準価額の金額は次のとおりである。

類似業種の株価

令和７年５月　783円　　令和７年４月　786円　　令和７年３月　788円

令和６年平均　785円　　令和７年５月以前２年間の平均　779円

類似業種の１株当たりの年配当金額	5.8円
類似業種の１株当たりの年利益金額	30円
類似業種の１株当たりの純資産価額	358円

ト　Ｊ社の比準要素の金額の計算の基礎となる金額は次のとおりである。

直前期の年配当金額	800,000円
直前々期の年配当金額	700,000円
直前期末以前１年間の年利益金額	6,000,000円
直前々期末以前１年間の年利益金額	5,400,000円
直前期末における利益積立金額	55,000,000円

なお、類似業種比準価額を計算する場合の要素別比準割合及び比準割合は、それぞれ小数点以下２位未満を切り捨てて計算するものとする。

⑨　家庭用財産は、配偶者乙に遺贈する。
時価　21,500,000円
この家庭用財産には仏壇（1,000,000円）が含まれている。

⑵　上記⑴の遺贈財産以外の被相続人甲の遺産は総額 100,000,000 円(下記４以下の資料において、被相続人甲の遺産に該当するものがあれば、それは含まれていないものとする。)であり、この遺産については、令和７年８月 31 日に共同相続人間で分割の協議が行われ、各相続人は民法第 900 条〔法定相続分〕及び第 901 条〔代襲相続分〕の規定による相続分に応じて取得した。

⑶　被相続人甲に係る債務は次のとおりであり、このうち銀行借入金と保証債務は二男Ｃが負担し、他の債務は配偶者乙が負担した。

①　銀行借入金	10,000,000円
②　保証債務	3,000,000円
③　令和７年分の準確定申告の所得税	1,500,000円
④　令和７年度住民税	1,250,000円

⑷　被相続人甲の葬式等に要した費用は次のとおりであり、これらは配偶者乙、長男Ａ及び二男Ｃが均等に負担した。

①　通夜費用	2,000,000円
②　葬式費用	3,500,000円
③　香典返戻費用	1,500,000円
④　お布施代	800,000円

4　上記のほか、相続税の申告期限までに、次の事項が判明している。

(1)　被相続人甲が保険料の全部又は一部を負担していた生命保険契約は次の表のとおりである。

区　　分	M生命保険	N生命保険	O生命保険	P生命保険
保険契約者	被相続人甲	長男A	被相続人甲	配偶者乙
被保険者	被相続人甲	被相続人甲	被相続人甲	二男C
保険金受取人	配偶者乙	長　男　A	二　男　C	配偶者乙
保険金額	100,000,000円	50,000,000円	30,000,000円	20,000,000円
払込済保険料	25,000,000円	12,000,000円	8,000,000円	5,000,000円
保険料負担者	被相続人甲全額	被相続人甲　1/2 長男A　1/2	被相続人甲全額	被相続人甲全額
契約者貸付金	5,000,000円	0円	0円	1,000,000円

(注) 1　M生命保険の保険金の支払いは、契約者貸付金5,000,000円が控除された残額が支払われている。なお、契約者貸付金の未払利息はないものとする。

2　長男Aは取得したN生命保険の保険金のうち、6,900,000円を相続税の申告期限までに東京都港区に贈与している。

3　P生命保険の課税時期における解約返戻金の額は4,000,000円である。なお、契約者貸付金の未払利息はないものとする。

(2)　J社から被相続人甲に対する退職功労金50,000,000円及び弔慰金8,000,000円が配偶者乙に支給されている。なお、被相続人甲の死亡時の役員報酬は月額700,000円であり、相続開始月の役員報酬については未収であったが、相続人間の協議に基づいて配偶者乙が取得している。

(3)　被相続人甲の相続人等は、他の資料から判明するものを除き相続開始前に被相続人甲から次の財産の贈与を受けており、これらに係る贈与税については、適正に納付されている。

贈与年月日	受　贈　者	贈与財産	贈与時の時価	相続開始時の時価	備考
令和4年9月2日	二　男　C	社　　債	5,000,000円	5,500,000円	—
令和5年5月12日	長　男　A	国　　債	13,000,000円	13,300,000円	(注)
令和6年2月1日	長　男　A	株　　式	15,000,000円	16,000,000円	—
令和7年2月11日	養　子　G	株　　式	3,000,000円	3,200,000円	—

(注)　長男Aは、令和5年分の贈与税の申告において、相続時精算課税の適用を受けている。

【資料Ⅱ】

1　宅地の価額を求める場合における奥行価格補正率等

⑴　奥行価格補正率（普通住宅地区）

６m以上８m未満　　0.95

８m以上10m未満　　0.97

10m以上24m未満　　1.00

24m以上28m未満　　0.97

⑵　奥行価格補正率（普通商業・併用住宅地区）

10m以上12m未満　　0.99

12m以上32m未満　　1.00

⑶　側方路線影響加算率（普通住宅地区）

角　地　　0.03

準角地　　0.02

⑷　二方路線影響加算率（普通住宅地区）

0.02

⑸　二方路線影響加算率（普通商業・併用住宅地区）

0.05

⑹　間口狭小補正率（普通住宅地区）

６m以上８m未満　　0.97

⑺　奥行長大補正率（普通住宅地区）

２以上３未満　　0.98

３以上４未満　　0.96

相続税の速算表（平成27年１月１日以降適用）

各法定相続人の取得金額	税率	控除額	各法定相続人の取得金額	税率	控除額
10,000千円以下	10%	—	200,000千円以下	40%	17,000千円
30,000千円以下	15	500千円	300,000千円以下	45	27,000千円
50,000千円以下	20	2,000千円	600,000千円以下	50	42,000千円
100,000千円以下	30	7,000千円	600,000千円超	55	72,000千円

贈与税の速算表（一般税率）（平成27年１月１日以降適用）

基礎控除後の課税価格	税率	控除額	基礎控除後の課税価格	税率	控除額
2,000千円以下	10%	—	10,000千円以下	40%	1,250千円
3,000千円以下	15	100千円	15,000千円以下	45	1,750千円
4,000千円以下	20	250千円	30,000千円以下	50	2,500千円
6,000千円以下	30	650千円	30,000千円超	55	4,000千円

贈与税の速算表（特例税率）（平成27年１月１日以降適用）

基礎控除後の課税価格	税率	控除額	基礎控除後の課税価格	税率	控除額
2,000千円以下	10%	—	15,000千円以下	40%	1,900千円
4,000千円以下	15	100千円	30,000千円以下	45	2,650千円
6,000千円以下	20	300千円	45,000千円以下	50	4,150千円
10,000千円以下	30	900千円	45,000千円超	55	6,400千円

解答　総合計算問題②

I　相続人及び受遺者の相続税の課税価格の計算

1　遺贈財産価額の計算　（単位：円）

財産の種類	取得者	計算過程	課税価格に算入される金額
港区の宅地	配偶者乙	500,000×1.00＋495,000×1.00×0.03＝514,850 514,850×360㎡＝185,346,000	185,346,000
港区の家屋	配偶者乙	$40,500,000\times1.0\times\frac{1}{3}=13,500,000$	13,500,000
文京区の宅地	長男A	420,000×0.95(＝399,000)＜400,000×1.00 → 正面路線400,000 (400,000×1.00＋420,000×0.95×0.03)×0.97×※0.96 ＝383,626(円未満切捨) ※　$\frac{20\text{m}}{6\text{m}}=3.3\cdots$　∴　0.96 383,626×120㎡×(1－0.5×0.3)＝39,129,852	39,129,852
文京区の家屋	長男A	12,000,000×1.0×(1－0.3)＝8,400,000	8,400,000
品川区の宅地	二男C	300,000×1.00＋280,000×1.00×0.05＝314,000 314,000×450㎡＝141,300,000	141,300,000
品川区の家屋	二男C	18,000,000×1.0＝18,000,000	18,000,000
H社の株式	配偶者乙	2,560、2,590、2,550、$\frac{3,560+500\times0.5}{1+0.5}=2,540$　∴　2,540 2,540×20,000株＝50,800,000	50,800,000
株式の割当てを受ける権利	配偶者乙	(2,540－500)×20,000株×0.5＝20,400,000	20,400,000
J社の株式	三男D	⑴　評価方式 $\frac{\text{D10個}+\text{乙20個}+\text{A10個}}{\text{50個}}=80\%>50\%$　∴　同族株主 $\frac{\text{D10個}}{\text{50個}}=20\%\geqq5\%$　∴　原則的評価方式 ⑵　評価額 ①　類似業種比準価額 $\frac{10,000,000}{5,000\text{株}}=2,000$、$\frac{10,000,000}{50}=200,000\text{株}$ A　783、786、788、785、779　∴　779 Ⓑ　$\frac{(800,000+700,000)\div2}{200,000\text{株}}=3.7$(10銭未満切捨) Ⓒイ　$\frac{6,000,000}{200,000\text{株}}=30$ ロ　$\frac{(6,000,000+5,400,000)\div2}{200,000\text{株}}=28$(円未満切捨) ハ　イ＞ロ　∴　28 Ⓓ　$\frac{10,000,000+55,000,000}{200,000\text{株}}=325$	14,859,000

<table>
<tr><td></td><td></td><td>$$779\times\left(\frac{\frac{3.7}{5.8}+\frac{28}{30}+\frac{325}{358}}{3}\right)\times0.6=383.2$$（10銭未満切捨）
$$383.2\times\frac{2,000}{50}=15,328$$
② 純資産価額
イ 155,870,000－(25,000,000＋53,800,000)＝77,070,000
ロ 148,370,000－(25,000,000＋53,800,000)＝69,570,000
ハ (イ－ロ)×37％＝2,775,000
ニ $\frac{イ－ハ}{5,000株}$＝14,859
③ ※14,859×0.60＋14,859×(1－0.60)＝14,859
※ 15,328＞14,859 ∴ 14,859
14,859×1,000株＝14,859,000</td><td></td></tr>
<tr><td>家庭用財産</td><td>配偶者乙</td><td>21,500,000－※1,000,000＝20,500,000
※ 仏壇は相続税の非課税</td><td>20,500,000</td></tr>
</table>

2 相続財産価額の計算 （単位：円）

〔計算過程〕

配偶者乙、二男C、三男D、養子E、養子G：100,000,000×

- 配偶者乙：$\frac{1}{2}$＋700,000（未収役員報酬）＝50,700,000
- 二男C：$\frac{1}{2}\times\frac{1}{5}$ ＝10,000,000
- 三男D：$\frac{1}{2}\times\frac{1}{5}$ ＝10,000,000
- 養子E：$\frac{1}{2}\times\frac{1}{5}$ ＝10,000,000
- 養子G：$\frac{1}{2}\times\frac{1}{5}+\frac{1}{2}\times\frac{1}{5}$＝20,000,000

3　小規模宅地等の特例の計算　　　　　　　　　　　　　　　　　　　　　　（単位：円）

⑴　減額単価

港区の宅地　㊎（乙）$\frac{185,346,000}{360㎡}$×80%＝411,880（411,880×$\frac{330}{200}$＝679,602）　→1順位

文京区の宅地㊮（A）$\frac{39,129,852}{120㎡}$×50%＝163,041.05　→3順位

品川区の宅地㊑（C）$\frac{141,300,000}{450㎡}$×80%＝251,200（251,200×$\frac{400}{200}$＝502,400）　→2順位

⑵　有利選択

乙取得の特定居住用宅地等※1 330㎡及びC取得の特定事業用宅地等※2 400㎡を選択（完全併用）

※1　360㎡＞330㎡　∴　330㎡

※2　450㎡＞400㎡　∴　400㎡

⑶　減額計算

港区の宅地　411,880×330㎡＝135,920,400

品川区の宅地　251,200×400㎡＝100,480,000

特例適用対象財産	取得者	課税価格から減額される金額
港区の宅地	配偶者乙	135,920,400
品川区の宅地	二男C	100,480,000

4　相続又は遺贈によるみなし取得財産の価額の計算　　　　　　　　　　　（単位：円）

財産の種類	取得者	計算過程	金額
生命保険金等	配偶者乙	100,000,000－※5,000,000＝95,000,000　※ 契約者貸付金	95,000,000
	長男A	50,000,000×$\frac{1}{2}$－※6,900,000＝18,100,000　※ 措法70の非課税	18,100,000
	二男C		30,000,000
同上の非課税金額		⑴　5,000,000×6人＝30,000,000 ⑵　95,000,000＋30,000,000＝125,000,000 ⑶　⑴＜⑵　∴　30,000,000	
	配偶者乙	30,000,000×$\frac{95,000,000}{125,000,000}$＝22,800,000	△ 22,800,000
	二男C	30,000,000×$\frac{30,000,000}{125,000,000}$＝7,200,000	△ 7,200,000
	長男A	相続人でないため適用なし	
退職手当金等	配偶者乙	50,000,000＋8,000,000－※4,200,000＝53,800,000 ※　弔慰金の判定 8,000,000＞700,000×6月＝4,200,000　∴　4,200,000	53,800,000
同上の非課税金額	配偶者乙	5,000,000×6人＝30,000,000＜53,800,000 ∴　30,000,000	△ 30,000,000
生命保険契約に関する権利	配偶者乙		4,000,000

5　相続時精算課税適用財産の価額の計算			(単位:円)
贈与年分	受贈者	計算過程	加算額
令和5年	長男A		13,000,000
令和6年	長男A	15,000,000−1,100,000＝13,900,000	13,900,000

6　債務控除額の計算			(単位:円)
債務及び葬式費用	負担者	計算過程	金額
債務	二男C	保証債務は控除できない	△ 10,000,000
	配偶者乙	1,500,000＋1,250,000＝2,750,000	△ 2,750,000
葬式費用	配偶者乙	(2,000,000＋3,500,000＋800,000) $\times\frac{1}{3}$ ＝2,100,000	△ 2,100,000
	長男A		△ 2,100,000
	二男C		△ 2,100,000
		香典返戻費用は控除できない	

7　相続税の課税価格に加算する贈与財産価額の計算			(単位:円)
贈与年分	受贈者	計算過程	加算額
令和4年	配偶者乙	40,800,000×1.0×$\frac{2}{3}$−※20,000,000＝7,200,000	7,200,000
		※　40,800,000×1.0×$\frac{2}{3}$≧20,000,000　∴　20,000,000	
令和4年	二男C		5,000,000
令和7年	養子G		3,000,000

8　各人の相続税の課税価格の計算　(単位:円)

区分＼相続人等	配偶者乙	長男A	二男C	三男D	養子E	養子G
遺贈財産	154,625,600	47,529,852	58,820,000	14,859,000		
相続財産	50,700,000		10,000,000	10,000,000	10,000,000	20,000,000
みなし取得財産	100,000,000	18,100,000	22,800,000			
相続時精算課税適用財産		26,900,000				
債務	△2,750,000		△10,000,000			
葬式費用	△2,100,000	△2,100,000	△2,100,000			
生前贈与加算	7,200,000		5,000,000			3,000,000
課税価格(千円未満切捨)	307,675,000	90,429,000	84,520,000	24,859,000	10,000,000	23,000,000

Ⅱ　相続税の総額の計算

課税価格の合計額	遺産に係る基礎控除額	課税遺産額
千円 540,483	千円 30,000＋6,000×６人＝66,000	千円 474,483

法定相続人	法定相続分	法定相続分に応ずる取得金額	相続税の総額の基となる税額
		千円	円
配偶者乙	$\frac{1}{2}$	237,241	79,758,450
長男A	$\frac{1}{2}\times\frac{1}{6}$	39,540	5,908,000
二男C	$\frac{1}{2}\times\frac{1}{6}$	39,540	5,908,000
三男D	$\frac{1}{2}\times\frac{1}{6}$	39,540	5,908,000
養子E	$\frac{1}{2}\times\frac{1}{6}$	39,540	5,908,000
養子G	$\frac{1}{2}\times\frac{1}{6}+\frac{1}{2}\times\frac{1}{6}$	79,080	16,724,000
合計　６人	1		相続税の総額（百円未満切捨）　120,114,400円

Ⅲ　各人の納付すべき相続税額の計算

1　各相続人等の納付税額の計算　(単位：円)

項目＼相続人等		配偶者乙	長男A	二男C	三男D	養子E	養子G
算出税額		68,376,244	20,096,515	18,783,327	5,524,547	2,222,352	5,111,411
加算又は減算	相続税額の加算額					444,470	
	贈与税額控除額(暦年課税分)	△ 1,190,000		△ 485,000			
	配偶者の税額軽減額	△60,057,200					
	障害者控除額	△ 3,048,589					△5,111,411
差引税額		4,080,455	20,096,515	18,298,327	5,524,547	2,666,822	0
贈与税額控除額(相続時精算課税分)			△ 380,000				
納付税額(百円未満切捨)		4,080,400	19,716,500	18,298,300	5,524,500	2,666,800	0

2　税額控除等の計算　(単位：円)

控除等の項目	対象者	計算過程	金額
相続税額の加算	養子E	$2,222,352\times\frac{20}{100}=444,470$	444,470
贈与税額控除(暦年課税分)	配偶者乙	$(40,800,000\times1.0\times\frac{2}{3}-20,000,000-1,100,000)\times40\%$ $-1,250,000=1,190,000$	△ 1,190,000
	二男C	(5,000,000－1,100,000)×15%－100,000＝485,000	△ 485,000
	養子G	相続開始年分の贈与は非課税	－
配偶者の税額軽減	配偶者乙	(1)　68,376,244－1,190,000＝67,186,244 (2)①　$540,483,000\times\frac{1}{2}=270,241,500\geqq160,000,000$ ∴ 270,241,500 ②　307,675,000 ③　①＜②　∴　270,241,500 ④　$\frac{120,114,400\times③}{540,483,000}=60,057,200$ (3)　(1)＞(2)④　∴　60,057,200	△ 60,057,200
障害者控除	養子G	(1)　200,000×(85歳－40歳)＝9,000,000 (2)　(1)＋100,000×※24年－3,240,000＝8,160,000 ※　平成13年10月～令和7年5月 → 23年7月 ∴ 24年 (3)　(1)＞(2)　∴　8,160,000＞5,111,411→5,111,411	△ 5,111,411
	配偶者乙	8,160,000－5,111,411＝3,048,589	△ 3,048,589
贈与税額控除(相続時精算課税分)	長男A	令和5年分 13,000,000－※13,000,000＝0 ※　13,000,000≦25,000,000 ∴ 13,000,000 令和6年分 (13,900,000－※12,000,000)×20%＝380,000 ※　13,900,000＞25,000,000－13,000,000 ∴ 12,000,000	△ 380,000

【ポイント解説】

路線価方式による宅地の評価は、試験に毎年出題されている論点です。宅地の評価におけるケアレスミスは小規模宅地等の特例の計算にも影響を与えますので、評価額を合わせることが最優先です。

1　配偶者乙が取得した港区所在の宅地

正面路線の決定は奥行価格補正率を乗じた後の金額によります。

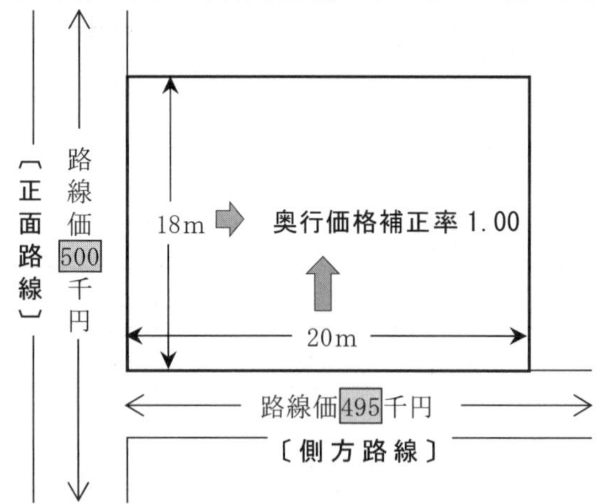

2　長男Aが取得した文京区所在の宅地

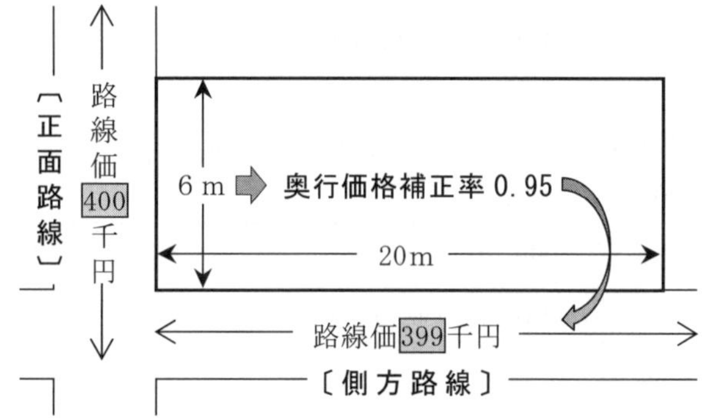

正面路線の決定は奥行価格補正率を乗じた後の金額によるため、この宅地の評価においては正面路線が逆転することに注意して下さい。なお、間口は正面路線に接する方であることから、間口狭小な宅地に該当するとともに、奥行長大な宅地にも該当します。

また、間口狭小かつ奥行長大な宅地の各補正率は、円未満の端数処理に注意が必要です。

〔1㎡当たりの評価額〕

(400,000円×1.00＋420,000円×0.95×0.03)×0.97×0.96＝383,626.464円→383,626円(円未満切捨)

（連乗）

3　二男Cが取得した品川区所在の宅地

各路線の所在する地区が異なる場合には、正面路線の所在する地区にかかる区画調整率を用いて評価することに注意して下さい。したがって、二方路線影響加算率は「0.05」となります。

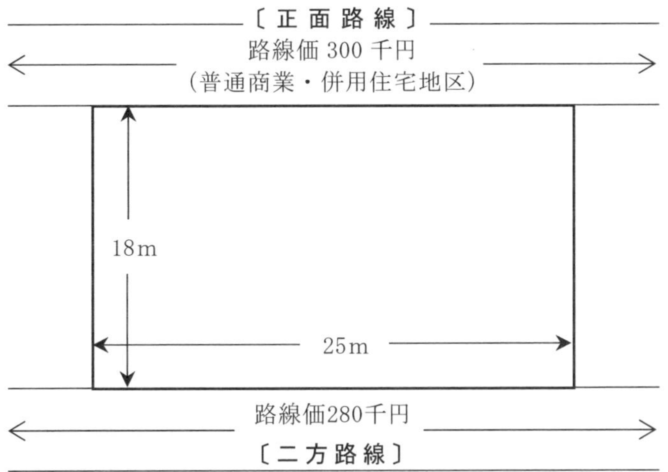

〔小規模宅地等の特例判定〕

⑴　港区所在の宅地（配偶者に家屋を贈与後、使用貸借としている場合）

【図　解】

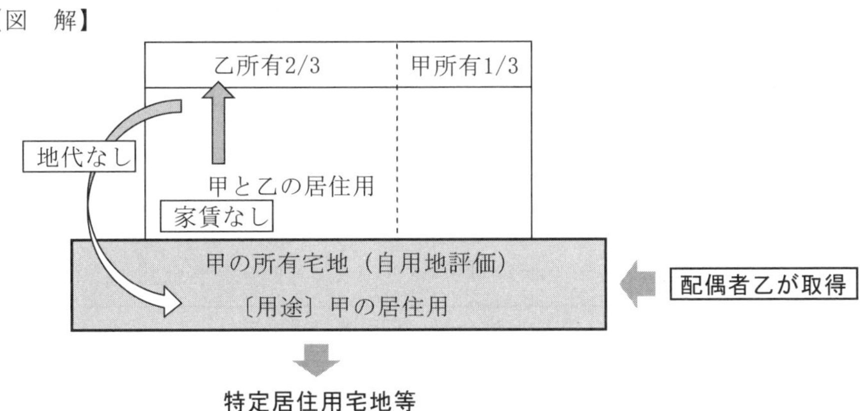

⑵　文京区所在の宅地（被相続人の貸付事業を親族が承継している場合）

【図　解】

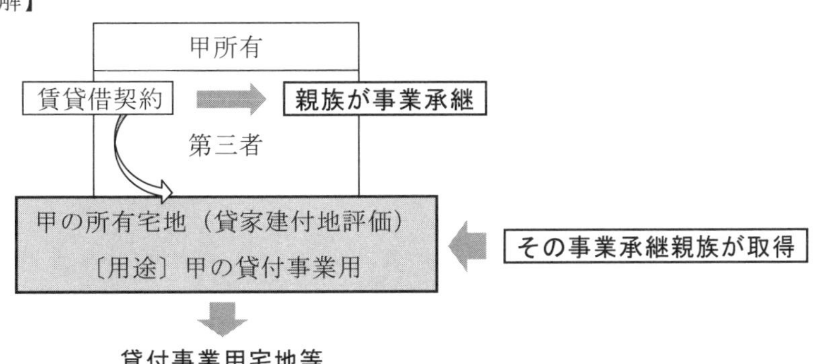

4　三男Ｄが取得したＪ社の株式

非上場株式の１株当たりの純資産価額の計算上、被相続人の死亡後、その評価会社から相続人等に支給することが確定した退職手当金等(非課税金額控除前の金額)については、相続税評価額及び帳簿価額の負債に計上します。これは、相続人等が相続又は遺贈により取得したものとみなされる退職手当金等に対する課税と非上場株式に対する課税による二重課税の調整を図るためです。

本問において、Ｊ社の負債には配偶者乙に支給された被相続人甲に係る退職功労金が含まれていないため、退職手当金等として課税される金額を相続税評価額及び帳簿価額の負債に加算後、１株当たりの純資産価額の計算を行います。また、評価会社から弔慰金等の支払いがあった場合には、退職手当金等として課税される金額についても評価会社の負債に計上します。

ホ　課税時期におけるＪ社の資産及び負債の状況は次のとおりである。

	相続税評価額	帳簿価額
資産の金額	155,870,000円	148,370,000円
負債の金額(注)	25,000,000円	25,000,000円

(注)　負債の金額には下記４(2)に掲げる退職功労金及び弔慰金は含まれていない。

【図　解】

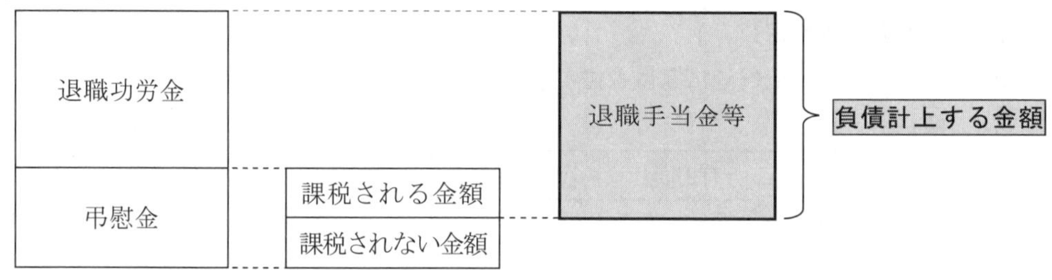

5　生命保険金等の課税関係（契約者貸付金等がある場合のまとめ）

区分＼取扱い		生命保険金等としての課税対象金額
被相続人＝契約者 （本　問）	受取人	契約保険金額－契約者貸付金等
	契約者	保険会社からの借入金と相殺　➜　課税関係なし
被相続人≠契約者 受取人≠契約者	受取人	契約保険金額－契約者貸付金等
	契約者	契約者貸付金等
被相続人≠契約者 受取人＝契約者	受取人	契約保険金額－契約者貸付金等＋契約者貸付金等 ➜　契約保険金額

6　障害者控除（一般障害者から特別障害者への変更があった場合）

〔基本算式〕

⑴　原則控除額

20万円［特別障害者］×（85歳－今回の年齢）

⑵　控除限度額

⑴＋10万円×（前回相続から今回相続までの期間）－ 既控除額

⑶　⑴と⑵のいずれか少ない金額

なお、本問のケースを図解で示すと、以下のとおりです。

【図　解】

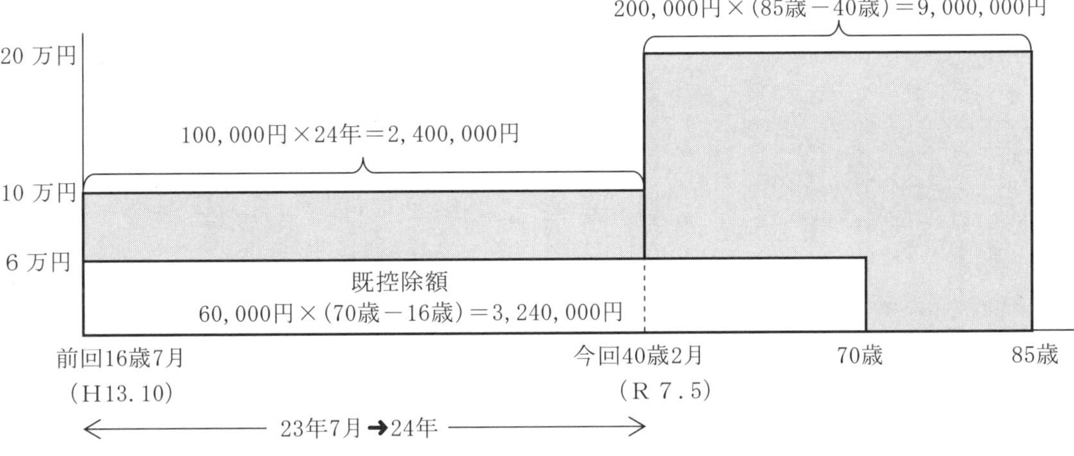

《最終的な控除額の計算》

240万円＋900万円 － 324万円 ＝816万円＜900万円　∴　816万円

〈修正後の控除枠〉　〈既控除額〉　〈控除限度額〉

（注）　令和を平成又は昭和に換算する場合

令和７年 ➔ 平成37年（令和×年に30年を加算します。）

令和７年 ➔ 昭和100年（令和×年に93年を加算します。）

また、養子Gの障害者控除額8,160,000円が算出相続税額5,111,411円を超過していることから、問題文の指示に従って、扶養義務者である配偶者乙の算出相続税額から超過額3,048,589円を控除します。

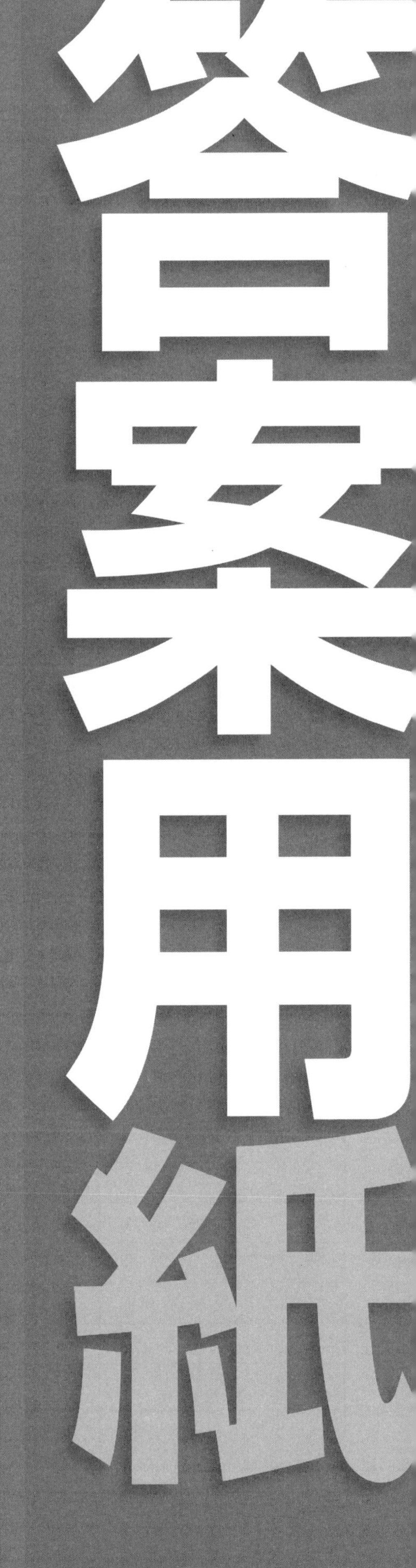
答案用紙

相続時精算課税①

1　相続時精算課税の適用を受ける贈与財産価額及び相続税額から控除する贈与税額の計算　(単位：千円)

贈与年分	受贈者	計算過程	各年分の贈与税額	課税価格に加算される金額

2　相続税の課税価格に加算される贈与財産価額及び相続税額から控除する贈与税額の計算　(単位：千円)

贈与年分	受贈者	計算過程	各年分の贈与税額	課税価格に加算される金額

3　各人の課税価格の計算　(単位：円)

項目＼相続人等	配偶者乙	長男 A	長女 B	計
相続又は遺贈財産	320,000,000	140,100,000	6,200,000	
相続時精算課税適用財産				
債務控除	△ 50,000,000	△ 10,000,000	△ 30,000,000	
生前贈与加算				
課税価格(千円未満切捨)				

4　各人別の納付税額の計算　(単位：円)

項目＼相続人等	配偶者乙	長男 A	長女 B	計
あん分割合	0.55	0.32	0.13	1.00
算出税額	72,105,000	41,952,000	17,043,000	131,100,000
贈与税額控除額(暦年課税分)				
配偶者の税額軽減額	△ 65,550,000			
差引税額				
贈与税額控除額(相続時精算課税分)				
納付税額(百円未満切捨)				
還付税額(円未満切捨)				

1　相続時精算課税の適用を受ける贈与財産価額及び相続税額から控除する贈与税額の計算　（単位：千円）

贈与年分	受贈者	計算過程	各年分の贈与税額	課税価格に加算される金額

2　相続税の課税価格に加算される贈与財産価額及び相続税額から控除する基となる贈与税額の計算　（単位：千円）

贈与年分	受贈者	計算過程	各年分の贈与税額	課税価格に加算される金額

3　各人の課税価格の計算　（単位：円）

項目＼相続人等	配偶者乙	長男A	長女B	計
相続又は遺贈財産	170,000,000	7,200,000	50,000,000	
相続時精算課税適用財産				
債務控除	△ 20,000,000	△ 35,000,000	△ 20,000,000	
生前贈与加算				
課税価格（千円未満切捨）				

4　各人別の納付税額の計算　（単位：円）

項目＼相続人等	配偶者乙	長男A	長女B	計
あん分割合	0.60	0.20	0.20	1.00
算出税額	23,820,000	7,940,000	7,940,000	39,700,000
贈与税額控除額（暦年課税分）				
配偶者の税額軽減額	△ 23,820,000			
障害者控除額		△ 3,800,000		
差引税額				
贈与税額控除額（相続時精算課税分）				
納付税額（百円未満切捨）				
還付税額（円未満切捨）				

答案用紙　Chapter 1　問題3　相続時精算課税③

1　相続時精算課税の適用を受ける贈与財産価額及び相続税額から控除する贈与税額の計算　（単位：千円）

贈与年分	受贈者	計算過程	各年分の贈与税額	課税価格に加算される金額

2　相続税の課税価格に加算される贈与財産価額及び相続税額から控除する基となる贈与税額の計算　（単位：千円）

贈与年分	受贈者	計算過程	各年分の贈与税額	課税価格に加算される金額

3　各人の課税価格の計算　（単位：円）

項目＼相続人等	配偶者乙	長女A	長男B	友人丙	計
相続遺贈財産	42,500,000		10,000,000		
相続時精算課税適用財産					
債務控除	△15,000,000		△13,900,000		
生前贈与加算					
課税価格（千円未満切捨）					

4　各人別の納付税額の計算　（単位：円）

項目＼相続人等	配偶者乙	長女A	長男B	友人丙	計
あん分割合	0.38	0.30	0.32		1.00
算出税額	3,980,500	3,142,500	3,352,000		10,475,000
贈与税額控除額（暦年課税分）					
配偶者の税額軽減額	△ 1,670,500				
差引税額					
贈与税額控除額（相続時精算課税分）					
納付税額（百円未満切捨）					
還付税額（円未満切捨）					

答案用紙 Chapter 2 問題4 措置法70条の非課税②

I 相続人及び受遺者の相続税の課税価格の計算

1 分割財産価額の計算 (単位：千円)

2 みなし取得財産価額の計算 (単位：千円)

財産の種類	取得者	計算過程	金額
生命保険金等		(生命保険金等の非課税金額)	

3 債務控除額の計算 (単位：千円)

債務及び葬式費用	負担者	計算過程	金額
債務及び葬式費用			

4 各人の課税価格の計算 (単位：千円)

項目 ＼ 相続人等	配偶者乙	長女B	二男C	計
分割財産				
みなし取得財産				
債務控除				
課税価格(千円未満切捨)				

答案用紙　Chapter３　問題７　贈与税の外国税額控除

令和５年分の納付すべき贈与税額　（単位：円）

受　贈　者	計　　算　　過　　程	納付すべき贈与税額

1　相続税の課税価格に加算する贈与財産価額の計算　（単位：円）

贈与年分	受　贈　者	計　　算　　過　　程	課税価格に加算される金額

2　贈与税額控除額の計算　（単位：円）

対　象　者	計　　算　　過　　程	金　　額

答案用紙　Chapter 7　問題5　宅地の利用形態による評価

（単位：円）

	利　用　区　分	計　　算　　過　　程	金　　額
宅地A			
宅地B			
宅地C			
家屋D			
宅地E			
家屋F			
宅地G			

答案用紙　Chapter 8　問題3　小規模宅地等の特例③

遺贈財産価額の計算　（単位：千円）

財産の種類	取 得 者	計　算　過　程	金　額

小規模宅地等の特例の計算　（単位：千円）

計　算　過　程

特 例 適 用 対 象 財 産	取 得 者	減　額　金　額

答案用紙 Chapter 8 問題4 小規模宅地等の特例④

相続財産価額の計算			(単位：千円)
財産の種類	取得者	計算過程	金額

小規模宅地等の特例の計算	(単位：千円)
計算過程	

特例適用対象財産	取得者	減額金額

答案用紙　Chapter10　問題5　業種目の判定

（単位：円）

⑴　類似業種比準価額

⑵　純資産価額

⑶　評価額

答案用紙　Chapter10　問題７　純資産価額②

（単位：円）

⑴　評価方式の判定

⑵　評　価

答案用紙　総合計算問題①

I　相続人及び受遺者の相続税の課税価格の計算

1　遺贈財産価額の計算			(単位：円)
取　得　者	財産の種類	計　　　算　　　過　　　程	金　　　額

2　分割財産価額の計算		(単位：円)
取　得　者	計　　　算　　　過　　　程	金　　　額

3　相続又は遺贈によるみなし取得財産価額の計算　（単位：円）

財産の種類	取得者	計算過程	金額

4　債務控除額の計算　（単位：円）

債務及び葬式費用	負担者	計算過程	金額

5　生前贈与加算額の計算　（単位：円）

贈与年分	受 贈 者	計　算　過　程	加算される金額

6　各相続人等の相続税の課税価格の計算　（単位：円）

区分＼相続人等							合　計
遺贈財産							
分割財産							
みなし財産	生命保険金等						
	退職手当金等						
債務控除	債　務						
	葬式費用						
純資産価額							
生前贈与加算							
課税価格（千円未満切捨）							

Ⅱ　相続税の総額の計算

課税価格の合計額		遺産に係る基礎控除額	課税遺産額	
千円		千円	千円	
法定相続人	法定相続分	法定相続分に応ずる各取得金額	相続税の総額の基となる税額	
		千円	円	
合計　人	1		相続税の総額（百円未満切捨）	円

Ⅲ　各相続人等の納付すべき相続税額の計算

1　各相続人等の納付税額の計算　（単位：円）

区分＼相続人等					合計
あん分割合					
算出税額					
相続税額の加算額					
贈与税額控除額					
配偶者の税額軽減額					
未成年者控除額					
障害者控除額					
相次相続控除額					
外国税額控除額					
納付税額（百円未満切捨）					

2　税額控除等の計算　（単位：円）

項目	対象者	計算過程	金額

計算用紙

答案用紙　総合計算問題②

I　相続人及び受遺者の相続税の課税価格の計算

1　遺贈財産価額の計算			（単位：円）
財産の種類	取得者	計算過程	課税価格に算入される金額
港区の宅地			
港区の家屋			
文京区の宅地			
文京区の家屋			
品川区の宅地			
品川区の家屋			
H社の株式 （　　）			

J 社の株式			
家庭用財産			

2　相続財産価額の計算　(単位：円)

〔計算過程〕

3　小規模宅地等の特例の計算　(単位：円)

特例適用対象財産	取得者	課税価格から減額される金額

4　相続又は遺贈によるみなし取得財産の価額の計算			（単位：円）
財産の種類	取得者	計算過程	金額
生命保険金等 同上の非課税金額			
退職手当金等 同上の非課税金額			
（　　）			

5　相続時精算課税適用財産の価額の計算　（単位：円）

贈　与　年　分	受　贈　者	計　　算　　過　　程	加　算　額

6　債務控除額の計算　（単位：円）

債務及び葬式費用	負　担　者	計　　算　　過　　程	金　　額
債　　務			
葬　式　費　用			

7　相続税の課税価格に加算する贈与財産価額の計算　（単位：円）

贈　与　年　分	受　贈　者	計　　算　　過　　程	加　算　額

8　各人の相続税の課税価格の計算　（単位：円）

相続人等／区分						
遺　贈　財　産						
相　続　財　産						
みなし取得財産						
相続時精算課税適用財産						
債　　務						
葬　式　費　用						
生前贈与加算						
課税価格（千円未満切捨）						

II　相続税の総額の計算

課税価格の合計額		遺産に係る基礎控除額	課税遺産額	
千円		千円	千円	
法定相続人	法定相続分	法定相続分に応ずる取得金額	相続税の総額の基となる税額	
		千円	円	
合計　人	1		相続税の総額（百円未満切捨）	円

III　各人の納付すべき相続税額の計算

1　各相続人等の納付税額の計算　（単位：円）

相続人等 ＼ 項目							
算出税額							
加算又は減算	相続税額の加算額						
	贈与税額控除額（暦年課税分）						
	配偶者の税額軽減額						
	障害者控除額						
差引税額							
贈与税額控除額（相続時精算課税分）							
納付税額（百円未満切捨）							

2　税額控除等の計算　　(単位：円)

控除等の項目	対象者	計算過程	金額
相続税額の加算			
贈与税額控除(暦年課税分)			
配偶者の税額軽減			
障害者控除			
贈与税額控除(相続時精算課税分)			

計算用紙

【参考資料】

付表１　奥行価格補正率表

地区区分 奥行距離(m)	ビル街地区	高度商業地区	繁華街地区	普通商業・併用住宅地区	普通住宅地区	中小工場地区	大工場地区
4未満	0.80	0.90	0.90	0.90	0.90	0.85	0.85
4以上　6未満		0.92	0.92	0.92	0.92	0.90	0.90
6 〃　8 〃	0.84	0.94	0.95	0.95	0.95	0.93	0.93
8 〃　10 〃	0.88	0.96	0.97	0.97	0.97	0.95	0.95
10 〃　12 〃	0.90	0.98	0.99	0.99	1.00	0.96	0.96
12 〃　14 〃	0.91	0.99	1.00	1.00		0.97	0.97
14 〃　16 〃	0.92	1.00				0.98	0.98
16 〃　20 〃	0.93					0.99	0.99
20 〃　24 〃	0.94					1.00	1.00
24 〃　28 〃	0.95				0.97		
28 〃　32 〃	0.96		0.98		0.95		
32 〃　36 〃	0.97		0.96	0.97	0.93		
36 〃　40 〃	0.98		0.94	0.95	0.92		
40 〃　44 〃	0.99		0.92	0.93	0.91		
44 〃　48 〃	1.00		0.90	0.91	0.90		
48 〃　52 〃		0.99	0.88	0.89	0.89		
52 〃　56 〃		0.98	0.87	0.88	0.88		
56 〃　60 〃		0.97	0.86	0.87	0.87		
60 〃　64 〃		0.96	0.85	0.86	0.86	0.99	
64 〃　68 〃		0.95	0.84	0.85	0.85	0.98	
68 〃　72 〃		0.94	0.83	0.84	0.84	0.97	
72 〃　76 〃		0.93	0.82	0.83	0.83	0.96	
76 〃　80 〃		0.92	0.81	0.82			
80 〃　84 〃		0.90	0.80	0.81	0.82	0.93	
84 〃　88 〃		0.88		0.80			
88 〃　92 〃		0.86			0.81	0.90	
92 〃　96 〃	0.99	0.84					
96 〃　100 〃	0.97	0.82					
100 〃	0.95	0.80			0.80		

付表２　側方路線影響加算率表

<table>
<tr><th rowspan="2">地区区分</th><th colspan="2">加算率</th></tr>
<tr><th>角地の場合</th><th>準角地の場合</th></tr>
<tr><td>ビル街地区</td><td>0.07</td><td>0.03</td></tr>
<tr><td>高度商業地区、繁華街地区</td><td>0.10</td><td>0.05</td></tr>
<tr><td>普通商業・併用住宅地区</td><td>0.08</td><td>0.04</td></tr>
<tr><td>普通住宅地区、中小工場地区</td><td>0.03</td><td>0.02</td></tr>
<tr><td>大工場地区</td><td>0.02</td><td>0.01</td></tr>
</table>

付表３　二方路線影響加算率表

地区区分	加算率
ビル街地区	0.03
高度商業地区 繁華街地区	0.07
普通商業・併用住宅地区	0.05
普通住宅地区、中小工場地区 大工場地区	0.02

付表６　間口狭小補正率表

<table>
<tr><th>地区区分
間口距離(m)</th><th>ビル街地区</th><th>高度商業地区</th><th>繁華街地区</th><th>普通商業・併用住宅地区</th><th>普通住宅地区</th><th>中小工場地区</th><th>大工場地区</th></tr>
<tr><td>4未満</td><td>—</td><td>0.85</td><td>0.90</td><td>0.90</td><td>0.90</td><td>0.80</td><td>0.80</td></tr>
<tr><td>4以上　6未満</td><td>—</td><td>0.94</td><td rowspan="7">1.00</td><td>0.97</td><td>0.94</td><td>0.85</td><td>0.85</td></tr>
<tr><td>6 〃　8 〃</td><td>—</td><td>0.97</td><td rowspan="6">1.00</td><td>0.97</td><td>0.90</td><td>0.90</td></tr>
<tr><td>8 〃　10 〃</td><td>0.95</td><td rowspan="5">1.00</td><td rowspan="5">1.00</td><td>0.95</td><td>0.95</td></tr>
<tr><td>10 〃　16 〃</td><td>0.97</td><td rowspan="4">1.00</td><td>0.97</td></tr>
<tr><td>16 〃　22 〃</td><td>0.98</td><td>0.98</td></tr>
<tr><td>22 〃　28 〃</td><td>0.99</td><td>0.99</td></tr>
<tr><td>28 〃</td><td>1.00</td><td>1.00</td></tr>
</table>

付表７　奥行長大補正率表

<table>
<tr><th>地区区分
奥行距離/間口距離</th><th>ビル街地区</th><th>高度商業地区
繁華街地区
普通商業・
併用住宅地区</th><th>普通住宅地区</th><th>中小工場地区</th><th>大工場地区</th></tr>
<tr><td>2以上　3未満</td><td rowspan="7">1.00</td><td>1.00</td><td>0.98</td><td>1.00</td><td rowspan="7">1.00</td></tr>
<tr><td>3 〃　4 〃</td><td>0.99</td><td>0.96</td><td>0.99</td></tr>
<tr><td>4 〃　5 〃</td><td>0.98</td><td>0.94</td><td>0.98</td></tr>
<tr><td>5 〃　6 〃</td><td>0.96</td><td>0.92</td><td>0.96</td></tr>
<tr><td>6 〃　7 〃</td><td>0.94</td><td rowspan="3">0.90</td><td>0.94</td></tr>
<tr><td>7 〃　8 〃</td><td>0.92</td><td>0.92</td></tr>
<tr><td>8 〃</td><td>0.90</td><td>0.90</td></tr>
</table>

本書の発行後に公表された法令等及び試験制度の改正情報、並びに判明した誤りに関する訂正情報については、弊社WEBサイト内の**『読者の方へ』**にてご案内しておりますので、ご確認下さい。

https://www.net-school.co.jp/

なお、万が一、誤りではないかと思われる箇所のうち、弊社WEBサイトにて掲載がないものにつきましては、**書名（ＩＳＢＮコード）と誤りと思われる内容**のほか、お客様の**お名前**及び**郵送の場合はご返送先の郵便番号とご住所**を明記の上、弊社まで**郵送またはe - mail**にてお問い合わせ下さい。

＜郵送先＞　〒101－0054
東京都千代田区神田錦町3－23メットライフ神田錦町ビル３階
ネットスクール株式会社　正誤問い合わせ係

＜e - mail＞　seisaku@net-school.co.jp

※正誤に関するもの以外のご質問、本書に関係のないご質問にはお答えできません。
※**お電話によるお問い合わせはお受けできません。**ご了承下さい。

税理士試験　問題集
相続税法Ⅱ　基礎完成編　【2025年度版】

2024年９月６日　初版　第１刷

著　　者　ネットスクール株式会社
発 行 者　桑原知之
発 行 所　ネットスクール株式会社　出版本部
〒101－0054　東京都千代田区神田錦町3－23
電 話　03（6823）6458（営業）
ＦＡＸ　03（3294）9595
https://www.net-school.co.jp
執筆総指揮　山本和史
表紙デザイン　株式会社オセロ
編　　集　吉川史織　加藤由季
ＤＴＰ制作　中嶋典子　石川祐子　吉永絢子
有限会社ドアーズ本舎　長谷川正晴
印刷・製本　日経印刷株式会社

　ISBN　978-4-7810-3838-4

相続税の速算表（平成27年１月１日以降適用）

各法定相続人の取得金額	税率	控除額	各法定相続人の取得金額	税率	控除額
10,000千円以下	10%	—	200,000千円以下	40%	17,000千円
30,000千円以下	15	500千円	300,000千円以下	45	27,000千円
50,000千円以下	20	2,000千円	600,000千円以下	50	42,000千円
100,000千円以下	30	7,000千円	600,000千円超	55	72,000千円

贈与税の速算表（一般税率）（平成27年１月１日以降適用）

基礎控除後の課税価格	税率	控除額	基礎控除後の課税価格	税率	控除額
2,000千円以下	10%	—	10,000千円以下	40%	1,250千円
3,000千円以下	15	100千円	15,000千円以下	45	1,750千円
4,000千円以下	20	250千円	30,000千円以下	50	2,500千円
6,000千円以下	30	650千円	30,000千円超	55	4,000千円

贈与税の速算表（特例税率）（平成27年１月１日以降適用）

基礎控除後の課税価格	税率	控除額	基礎控除後の課税価格	税率	控除額
2,000千円以下	10%	—	15,000千円以下	40%	1,900千円
4,000千円以下	15	100千円	30,000千円以下	45	2,650千円
6,000千円以下	20	300千円	45,000千円以下	50	4,150千円
10,000千円以下	30	900千円	45,000千円超	55	6,400千円

なお、本書は令和５年４月１日現在施行されている法令等に基づき作成しております。

2025年度版　ネットスクール出版

税理士試験教材のラインナップ

● 税理士試験に合格するためのメイン教材

税理士試験教科書・問題集・理論集

ネットスクール税理士 WEB 講座の講師陣が自ら「確実に合格できる教材づくり」をコンセプトに執筆・監修した教材です。
税理士試験の合格に必要な内容を効率よく、かつ、挫折しないように工夫した『教科書』、計算力を身に付ける『問題集』、理論問題対策の『理論集』から構成されており、どの科目の教材も、豊富な図解と受験生がつまずきやすいポイントを押さえた、ネットスクール税理士 WEB 講座でも使用している教材です。

簿記論・財務諸表論の教材

税理士試験教科書　簿記論・財務諸表論Ⅰ　基礎導入編【2025年度版】	3,630円（税込）	好評発売中
税理士試験問題集　簿記論・財務諸表論Ⅰ　基礎導入編【2025年度版】	3,300円（税込）	好評発売中
税理士試験教科書　簿記論・財務諸表論Ⅱ　基礎完成編【2025年度版】	3,630円（税込）	好評発売中
税理士試験問題集　簿記論・財務諸表論Ⅱ　基礎完成編【2025年度版】	3,300円（税込）	好評発売中
税理士試験教科書　簿記論・財務諸表論Ⅲ　応用編【2025年度版】	2024 年11月発売	
税理士試験問題集　簿記論・財務諸表論Ⅲ　応用編【2025年度版】	2024 年11月発売	
税理士試験教科書　財務諸表論　理論編【2025年度版】	2024 年12月発売	

☆簿記論・財務諸表論の方はこちらもオススメ！☆

穂坂式 つながる会計理論

税理士 財務諸表論 穂坂式 つながる会計理論【第2版】	2,640円（税込）	好評発売中

過去問ヨコ解き問題集

税理士試験過去問ヨコ解き問題集 簿記論【第3版】	3,740 円（税込）	好評発売中
税理士試験過去問ヨコ解き問題集 財務諸表論【第５版】	3,740 円（税込）	好評発売中

● 試験前の総仕上げには必須のアイテム！

ラストスパート模試　毎年5～6月ごろ発売予定

試験直前期は、出題予想に基づいた『ラストスパート模試』で総仕上げ！
全3回分の本試験さながらの模擬試験を収載。
分かりやすい解説とともに直前期の得点力 UP をサポートします。
※ 画像や内容は 2024 年度版をベースにしたものです。変更となる場合もございます。